Veertig zweepslagen

www.boekerij.nl

Lubna Ahmad-al Hussein
met Djénane Kareh Tager

Veertig zweepslagen

ISBN 978-90-225-5525-5
NUR 302

Oorspronkelijke titel: *40 coups de fouet pour un pantalon* (Editions Plon)
Vertaling: Margreet van Muijlwijk
Omslagontwerp: DPS design & prepress services, Amsterdam
Omslagbeeld: Helle Moos
Zetwerk: CeevanWee, Amsterdam

Inleiding

Dit is niet mijn persoonlijke verhaal. Ik werd niet gearresteerd, berecht en veroordeeld omdat ik journaliste ben, noch omdat ik in Sudan enige bekendheid geniet door mijn artikelen. Dit is het verhaal van een grof schandaal. Heb ik dat veroorzaakt, of deden mijn aanklagers het? Ik heb mijn eer te grabbel gegooid, beweren ze. Eer is een halszaak bij ons. Maar mijn eer is nooit in het geding geweest. Ik voel me zelfs eerbaarder dan ooit tevoren.

Dit is niet mijn verhaal. Het is het verhaal van alle vijftien vrouwen die tegelijk met mij werden gearresteerd in dat chique restaurant in Khartoum en die, de meeste althans, diezelfde dag nog werden gegeseld. Mijn verhaal is het verhaal van de geseling van duizenden vrouwen, elke dag, elke maand, jaar in jaar uit, na snelrecht door een van onze grimmige rechtbanken voor openbare orde. Zwijgend ondergaan ze hun straf. Ze vegen het bloed van hun ruggen, hun armen en maken zich met gebogen hoofd beschaamd uit de voeten. Ze worden tot het einde van hun dagen getekend door de schande die hen tot maatschappelijk ter dood veroordeelden maakt. Want onze maatschappij stigmatiseert een vrouw die vanwege haar kledij werd gegeseld.

Dankzij mijn advocaat en mijn werk voor de Verenigde Naties werd mijn proces uitgesteld. Ik had dus enkele dagen om me voor te bereiden. Ik liet vijfhonderd uitnodigingen drukken, die ik naar journalisten, schrijvers, andere intellectuelen en vooral naar vrouwen stuurde. Ik stuurde ze aan mensen die me steunden en aan mensen die me belasterden. Ik wilde dat ze mijn aanklagers zelf aanhoorden en zelf kennisnamen van de beschuldigingen tegen mij.

Ik stond terecht wegens schending van de publieke zedelijkheid. Net als de vrouwen die samen met mij waren opgepakt. Net als al die Sudanese vrouwen wie elke dag hetzelfde overkomt. Tot nu toe heeft geen van die vrouwen dit onder de aandacht durven brengen. Uit schaamte. Mijn zaak is voortaan de zaak van Artikel 152 van het Sudanese Wetboek van Strafrecht, dat bepaalt dat verdorven vrouwen die net als ik de 'publieke eerbaarheid' hebben geschonden, worden gestraft met veertig zweepslagen, een boete, of met allebei. Als je dan met striemen op je rug weer buitenkomt, krijg je geen medelijden, maar wek je afkeer op. Want je bent een zedeloze vrouw...

Ik heb een misdaad begaan: ik heb een pantalon gedragen.

1
Mijn pantalon

Welke rare god verheugt zich als een verloofde aan de golven wordt geofferd? En hoe kan een rivier met een vrouw trouwen? Waarom laat een vrouw zich in de rivier gooien? En waarom wordt er nooit een man aan die god geofferd?

Mijn klasgenoten staarden me verbaasd aan terwijl ik midden in de klas staand, verbluft door mijn eigen gedrevenheid en vermetelheid, al die vragen afvuurde. We waren acht jaar en we kregen geschiedenisles. De juffrouw maakte geen aanmerkingen op mijn brutaliteit: 'Het waren eenvoudige mensen, kind, ze waren onwetend. Hun god was maar een stenen afgodsbeeld.'

Een stenen afgodsbeeld. Ze legde de nadruk op dat laatste woord. Haar antwoord was overtuigend, haar blik was oprecht. Nog onthutst over mijn eigen lef ging ik weer zitten.

Bijna dertig jaar later stond ik weer alleen. Nu midden in een immens grote klas. En deze keer stelde ik geen vragen, maar werd ik overeind getrokken om zelf aan een god geofferd te worden. Net als vóór mij tienduizenden vrouwen werden gegeseld om een god te behagen, die nu niet meer van steen is. Zij bleven zwijgen. Zij huilden in stilte. Zij konden niet schreeuwen, zij durfden niet in opstand te komen.

Zij hebben ondergaan. Zij werden gebroken. Ook ik werd overeind getrokken, maar ik heb geprotesteerd. Ik heb nee geschreeuwd. Ik schreeuwde en met mijn schreeuw vertolkte ik de revolte van alle vrouwen die zwegen. Ik schreeuwde het uit en al schreeuwend heb ik de leren riemen die al door de lucht floten tegengehouden, de riemen die wel neergekomen waren op de ruggen van alle verloofdes die me waren voorgegaan. Nee! Nee!

Duizenden jaren zijn er verstreken in mijn geboortestreek in Boven-Nubië, het immense Kush, dat begon bij de tweede cataract van de Nijl, waar de volkeren van Afrika en het Middellandse-Zeegebied elkaar ontmoetten. Precies daar waar de mensen voor de eerste keer in de geschiedenis een holocaust hebben aangericht om de goden te behagen. Het gebied heette Ta'sety, het Land van de Boog. Het bracht ontelbare kostbaarheden voort: goud – 'het vlees van de goden' of het geheimzinnige 'gestolde vuur' –, ebbenhout, ivoor, struisvogelveren, koper, zilver. Het trok hebzuchtigen en veroveraars aan. De farao's beloofden het land aan hun goden en plaveiden het vruchtbare grondgebied met Tempels voor Miljoenen Jaren. Herinneren de oevers van de Nijl zich nog de antieke feesten waarmee het wassende water werd gevierd? Onder de hete adem van de woestijn werd de schitterend uitgedoste, geparfumeerde god door zijn met etherische oliën gezalfde priesters, omringd door scribenten, muzikanten, notabelen en gevolgd door een horde bedelaars, naar de rivier gedragen, waar zijn zoon, Zoon van Ra, zich bij hem voegde. Terwijl er gebeden en lofzangen opstegen trad het mooiste meisje van Nubië naar voren. Zij werd geofferd aan de god, om zijn genade af te smeken. Ze werd in het water gegooid; uitgehuwelijkt aan de rivier. Dat behaagde de god. Het behaagde hem zozeer dat hij de farao en zijn volk elk jaar overlaadde met zijn zegeningen, de aarde vruchtbaar maakte, wat rijkdom bracht aan het koninkrijk. Aan het einde van elk droog seizoen zwol de Nijl op wonderlijke wijze en voerde het kostbare slib aan dat zijn oevers zwart kleurde en waarin het zaad werd ontvangen. Opdat in zijn water het groene gebladerte van de nieuwe oogst zou kunnen weerspiegelen werd een vrouw geofferd aan de rivier. Die vrouw werd geofferd onder het gejubel van de menigte.

Het was een vrijdag, de wekelijkse rustdag in Sudan, zoals in de meeste andere moslimlanden. Vrijdag 3 juli. Het was bijna negen uur 's avonds. Ik verliet met spijt een gezellige familiebijeenkomst. Het grote onderwerp van gesprek was het huwelijk van mijn nichtje. Het moest een groot feest worden en ik had al weken geleden beloofd daar de zaal voor te kiezen en te reserveren. De grote dag naderde met rasse schreden. Ik nam mijn wagen; het zou me zeker een half uur kosten om naar Al-Ryadh te rijden, de chique wijk van Khartoum, met het nieuwe restaurant dat zo in was, Oum Kalthoum. De ontspannen sfeer van die zaak beviel me erg. Het was niet van een kitscherige luxe. Er was een ruime patio met een marmeren tegelvloer, het dak was van hout en tentdoek en behangen met slingers van kleurige lampjes. Het zat er zowel overdag als 's avonds vol met journalisten en schrijvers, die in gemakkelijke rieten stoelen onder de grote ventilators theedrinkend de toestand in de wereld bespraken. Ik voegde me af en toe bij hen, na mijn werk bij de vn, waar ik sinds twee jaar een baan had op de media-afdeling. Sinds ik gedwongen werd om de journalistiek op te geven.

Maar die vrijdagavond was het feest bij Oum Kalthoum.

Een oosters feest. Ik ontdekte een heel ander restaurant. Gezinnen met kinderen, ouderen, jongeren en oudere jongeren, allemaal waren ze komen luisteren naar Mohammed Charkaoui, een jonge Egyptische zanger die de grote hits uit de Arabische wereld vertolkt. Ik had duidelijk het verkeerde moment uitgezocht om te onderhandelen over het bruiloftsfeest. De muziek kwam je buiten al tegemoet; in de patio waren stoelen bijgezet om de ongeveer vierhonderd luisteraars een plaats te kunnen geven. Er werd gelachen, de kinderen scharrelden tot vermaak van de volwassenen rond voor het podium en rond de tafeltjes. De vrouwen waren mooi met hun kleurige opschik, onder hun losjes om het hoofd gewikkelde hoofddoeken. Ik keek even naar mijn eigen oude, lubberende pantalon, naar de haastig omgeknoopte dikke sjaal die mijn haar bedekte. De eigenaar van Oum Kalthoum hield zijn gasten vanuit zijn ooghoeken in de gaten. De ouders van de bruid zouden ook naar het restaurant komen; ze waren zelfs vóór mij vertrokken en waren alweer weggegaan. Ik ging achter in de zaal zitten, vlak bij de kassa. Terwijl ik wachtte op het einde van het optreden, werd ik meegesleept door de uitbundigheid; de eentonige Egyptische recitatieven werden gevolgd door een opzwepende Libanese *dabke*. Mensen sprongen overeind en begonnen achter Charkaoui op het toneel te dansen. Ze legden hun handen op elkaars schouders, sloegen met hun hakken de maat, hurkten, kwamen bliksemsnel weer overeind, draaiden op één been balancerend om hun as. Het schouwspel fascineerde me. Waar deed die dabke me toch aan denken? Maar natuurlijk! Het was precies de traditionele dans van de Chaïka, een Arabische stam uit Noord-Sudan.

Op welk moment precies drong tot me door dat de mu-

ziek was opgehouden, dat de dansers verstarden, dat het gelach en het handengeklap verstomde? Terwijl ik zat te denken aan de overeenkomst tussen de Chaïka-dans en de Libanese dans? Terwijl ik mijn vrienden belde om ze die muziek
te laten horen en ze te vertellen waar ik die hoorde? Ik volgde
de blik van mijn buurvrouw en keek de zaal rond. Een, twee,
drie, twaalf politieagenten hadden zich opgesteld tussen de
tafeltjes. Zes keer twee agenten. Ze keken naar het publiek.
Zochten ze een dief, een misdadiger? Ik zag hoe ze naar een
vrouw toe gingen en haar een bevel gaven. Ze stond op en
deed drie stappen. In de donkere zaal kon ik nauwelijks haar
silhouet zien. Ze liep terug naar haar plaats en ging weer zitten. Twee andere vrouwen kregen zeker hetzelfde bevel; zij
stonden eveneens op, deden drie stappen en wilden weer
naar hun plaats teruggaan. Maar ze werden ruw tegengehouden en tegen de muur naast de ingang van Oum Kalthoum gezet. Ik zag niet de twee mannen die op mij toelie-
pen en naast me kwamen staan. Ik hoorde ze wel. Ze blaften:
'Opstaan!'
'Lopen!'
Ik stond op. Ik begon te lopen. Eén stap, nog een.
'Draai je om!'
Ik gehoorzaamde automatisch. Ze aarzelden even. Snauw-
den toen weer: 'Daarheen!'
Daarheen: dat was de muur. Als een robot liep ik door. Ik
ging tegen de muur staan. De andere aanwezigen keken
zwijgend naar dit vreemde ballet van vrouwen. De kinderen
die zo-even nog onder het podium en tussen de tafeltjes
speelden, waren in de armen van hun ouders gevlucht. Ze
waren onverwacht getuige van een opvoering door volwassenen van het spelletje 'diefje-met-verlos'. De 'goeden' waren

natuurlijk de politieagenten. Maar wie waren dan de 'slechteriken', de dieven? Hun moeders? Het hele gedoe vervulde me met afkeer. Ik keek naar links, naar de uitgang. Ik zag dat de straat was afgezet met twee politie-auto's en vol stond met nieuwsgierigen die op hun tenen gingen staan om niets van het schouwspel te hoeven missen.

Intussen waren we met vijftien. Allemaal vrouwen die waren gekomen voor een feestavond, de meeste met familie, met hun echtgenoten, hun ouders, schoonouders, hun ooms, tantes en met hun kinderen. Vijftien vrouwen stonden met schande overladen naast elkaar tegen de muur. Of waren we misschien het slachtoffer van zo'n tv-programma met verborgen camera? Ik moest stiekem lachen bij dat idee, ingehouden grinnikend keek ik naar de twaalf agenten die klaar waren met hun zoektocht en die nu tegenover ons stonden. Ik grinnikte weer omdat ik me inbeeldde dat ik een mannequin was en dat ik op de catwalks van Parijs en New York paradeerde. Ik had er de vereiste lengte voor: een meter tweeënzeventig. Misschien was ik wel een paar kilootjes te zwaar? Dat was maar een bijkomstigheid. Aan mijn kleren dacht ik liever niet. Aan die wijde en dus vormeloze broek en die sjaal zo groot als een badhanddoek. Ik had voordat ik naar Oum Kalthoum ging niet de moeite genomen om me te verkleden. Anders zou ik zeker mijn nieuwe, nauwsluitende broek hebben gedragen en een kleine, doorschijnende sjaal, waaronder een keurige *brushing* zichtbaar bleef. Onwillekeurig trok ik mijn sjaal vaster om mijn hoofd, om mijn loshangende haar te verbergen. Mijn kapsel voor een vrijdagavond in familiekring.

Het feest was voorbij. Omringd door de agenten werden de vijftien 'dieven' achter elkaar afgevoerd naar de uitgang.

Buiten moesten we op het trottoir blijven staan zodat de menigte die door de agenten op afstand werd gehouden nog even kon genieten van een gratis modeshow. Ik zag een paar bekende gezichten en ving enkele bemoedigende blikken op. Kijk maar goed, mensen; het spektakel is nog niet voorbij. Kijk maar hoe we in een politiebusje worden gestouwd, waar we op de vloer moeten zitten, aan de voeten van gewapende mannen die ons ruw bejegenen. Kijk, een vrouw probeert vergeefs bij ons te komen. Ze schort haar rok op om in het busje te klimmen en zich bij haar zusters in pantalon te voegen. Ze schreeuwt, ze huilt en haar zusters huilen met haar mee. Ze wordt ruw weggeduwd.

'Achteruit!'

Kijk goed, vrienden. Zie ons achter de tralies zitten. Kijk maar goed naar die vrouwen die de wet hebben overtreden. De politiebus reed met veel geraas weg. De menigte bleef ons nakijken.

Ik weigerde om mijn hoofd te buigen. Waarom zou ik? Ik werd publiekelijk vernederd, maar ik schaamde me nergens voor. Het gejammer van mijn lotgenoten ergerde me. Waarom huilden ze zo? Ik probeerde begrip voor ze op te brengen, ik probeerde ze te sussen. Ik deed mijn best om vriendelijk te blijven, maar kon me niet inhouden en kafferde hen uit. Ik kreeg een klap op mijn hoofd. En nog een.

'Kop dicht!'

Het bevel werd gebruld, ik hield mijn hoofd recht. Ik keek omhoog, zag de agent zich naar me toebuigen en zijn hand opheffen om me weer te slaan. Ik keek hem recht in de ogen. Was dat te uitdagend? Ik had mijn gsm in mijn hand. Hij stond niet aan. Ik had hem afgezet in het restaurant, toen ik tegen de muur werd gezet. Dat moest. De agent bukte zich om mijn telefoon af te pakken. Mijn enige verbinding met de buitenwereld. Ik wilde dus mijn telefoontje niet loslaten. Ik had geen idee hoe laat het was en ook niet hoe ver we al hadden gereden. Mijn mobieltje overleefde de krachtmeting niet. Ik zag hem – net als in een b-film – door de lucht vliegen en in duizend stukjes uit elkaar spatten. Geheel overbodig raapte ik het omhulsel en de batterijen nog op. De chip was spoorloos. De agent zocht hem ook tussen de kieren van het plankier.

'Geef hier! Gehoorzaam! Waarom moet je zonodig voor opstandeling spelen?'

Het regende klappen op mijn hoofd. Die chip heb ik niet meer gevonden.

We reden langs een politiebureau, en vervolgens langs een ander, maar we stopten nergens. De bus met zijn lading vrouwen reed traag door de straten van Khartoum. De hitte was verstikkend, we hapten naar lucht. We zaten op een kluitje achter in de wagen. Mijn schouder werd gevoelloos onder het gewicht van mijn buurvrouw, mijn benen begonnen te slapen. Ik kon niet bewegen. De agenten kwamen overeind, de bus minderde vaart, de deuren gingen open. We stopten. We hoorden gegil van vrouwen; de carrosserie van de bus kreunde; iemand verweerde zich heftig. We kregen gezelschap van een 'hidjab', een vrouw met de verplichte islamitische hoofddoek en gekleed in een lang gewaad. 'Een hoer', beantwoordde de agent onze vragende blikken. Om zijn minachting te benadrukken gebruikte hij het vulgairste woord dat daar in het Sudanees voor bestaat. Een hoer? Of een vrouw die laat van haar werk kwam, een vrouw die misschien nog gauw iets was gaan halen bij de winkel op de hoek. Ze was doodsbleek, zei niets en huilde niet eens. Dat ze was opgepakt wegens prostitutie betekende dat haar leven naar de knoppen was. Ze zou geen fatsoenlijk proces krijgen, slechts een schijnvonnis. En de veroordeling die haar voor de rest van haar leven zou brandmerken zou met gloeiende letters op haar strafblad komen te staan: 'prostituee'.

'En die jongen daar? Pakken jullie die niet op? Met zijn lange haar en zijn verwijfde blouse is hij nog gewaagder dan ik in mijn lange broek.'

Onze bewaker verwaardigde zich niet eens om me antwoord te geven. Ik wendde mijn blik af van het misselijkmakende schouwspel. Ik sloot mijn ogen en leunde met mijn voorhoofd tegen mijn knieën. Ik voelde de blikken van de gewapende mannen in mijn nek, op mijn rug. Mijn rug die ongetwijfeld algauw de prijs voor mijn brutaliteit zou moeten betalen.

In het 'commissariaat voor openbare orde' waar mijn gezellinnen en ik midden in de nacht werden uitgeladen, zaten al tientallen vrouwen samengepakt. Ze waren de oogst van een zomeravond in de Sudanese hoofdstad. Dit bureau werd aan het begin van de jaren negentig van de twintigste eeuw speciaal ingericht voor de opvang van vrouwen (en mannen) die de openbare zedelijkheid schoffeerden. In elk geval de zedelijkheid zoals die wordt opgevat door de Sudanese autoriteiten en staat omschreven in artikel 152 in het Wetboek van Strafrecht van 1991: 'Eenieder die in het openbaar een onzedelijke handeling verricht, een handeling verricht die indruist tegen de publieke zedelijkheid, of onfatsoenlijk gekleed gaat en daarmee de gevoelens van de goegemeente kwetst, zal gestraft worden met maximaal veertig zweepslagen, of een boete, of beide. Een handeling is in strijd met de openbare zedelijkheid als ze als zodanig wordt ervaren op grond van iemands geloofsleer, of de gewoontes van het land waarin de handeling plaatsvindt.' Dit wetsartikel geldt voor alle Sudanese vrouwen, ongeacht hun geloof – de Sudanese bevolking bestaat uit ongeveer 62 procent moslims, 22 procent animisten en 16 procent christenen. Artikel 152 geldt voor alle Sudanese vrouwen, ongeacht tot welke stam ze behoren. Ons volk bestaat uit driehonderdvijf verschillende stammen; in het noorden overwegend Afrikaans en in het zuiden voornamelijk Arabisch. De wet waaraan vrouwen moeten gehoorzamen heeft niets te maken met hun geloof en met hun lokale gebruiken, maar uitsluitend met de ondoorgrondelijke, schimmige maatstaven van een al dan niet goedgeluimde politieman. Wat is onfatsoenlijke kleding? Iedereen heeft daar zijn eigen ideeën over. Een hidjab die de hals onbedekt laat? Een jurk waaronder de enkels zichtbaar zijn? En waar beginnen de enkels? Een lange broek? Welke pasvorm is 'betamelijk'? Artikel 152 is zo opgesteld dat het onmogelijk is om uit te maken waar het fatsoen eindigt en het onfatsoen begint. Het is zo geschreven dat geen enkele vrouw die zich op straat vertoont er zeker van kan zijn dat ze weer thuiskomt zonder eerst te zijn opgebracht naar het commissariaat van openbare orde waar ze een strafblad met een onuitwisbare blaam krijgt.

Wat ons vijftien betreft leek er trouwens twijfel te bestaan of we wel allemaal beantwoordden aan de politionele opvatting van zedeloosheid. We werden opnieuw naast elkaar tegen een muur gezet. Als vijftien mannequins die door een grote modeontwerper in Khartoum waren samengebracht en die werden beoordeeld door een vijftiental gewapende mannen. Ze bekeken ons een voor een, vroegen ons naar voren te lopen, naar achteren, en overlegden met elkaar. Wat een komedie! Zes van ons werden uit de rij gehaald. Op grond van welke criteria? Ik weet het niet en zal het waarschijnlijk nooit weten. Ik zag ze, nog steeds aangeslagen, weglopen. Waarom werden zij onschuldig verklaard? Ik keek naar beneden naar de negen paar overgebleven benen tegen de muur. Negen pantalons van klassieke, rechte snit. Negen corpus delicti. Ik vergeleek ze met de vrijgelaten benen en ik kon geen centimeter textiel ontdekken die zulke mildheid verklaarde...

Ik had, evenmin als alle andere vrouwen, geen telefoon en geen enkel contact met de buitenwereld. Onze families en onze naasten zouden vast doodongerust zijn. We kregen gezelschap van vier andere vrouwen, uiteraard in pantalon. Zij waren van straat geplukt. Ik ging naast twee jonge meisjes staan. Ze waren ongetwijfeld vlak bij hun huis opgepakt, toen ze op straat wat afkoeling zochten in de hitte van de Sudanese zomer. Twee christinnetjes uit het zuiden die zoals miljoenen andere migranten en vluchtelingen naar de stad waren getrokken. Niemand uit hun omgeving wist vermoedelijk wat hun was overkomen. Ze zouden er vermoedelijk ook met niemand over praten. Ze hurkten doodsbang tegen de muur. Ze verschansten zich achter hun tranen en hun zwijgen. Dachten ze aan hun Zuiden, waar Sudan niet meer Arabisch, maar uitsluitend Afrikaans is en waar de tribale tradities die in de dorpen nog worden nageleefd hoogstens bedekking met een minuscuul lendendoekje vereisen? Wij waren gearresteerd wegens het dragen van een lange broek. In plaats van te investeren in scholen en ziekenhuizen steekt de staat liever geld in ordediensten, politie-eenheden en rechtbanken die zich moeten bezighouden met onze kledij. Wat een zielige vertoning! Ik ken het Zuiden goed, omdat ik er als journaliste vaak ben geweest. In 2001 was ik met de minister van Energie meegereisd naar Rabkona in Unity State, waar hij een nieuwe oliewinning ging inhuldigen. Het was een heel officiële ceremonie, compleet met een ordedienst en rode lopers. Enkele meters verderop liep een rivier waarin een oude vrouw, volgens het gebruik van haar stam, spiernaakt een maaltje vis bij elkaar aan het spietsen was, zoals haar voorvaders dat al eeuwenlang hadden gedaan. Het was echter de bedoeling dat er gefeest zou worden en niet dat het tot botsingen zou komen met de inheemse bevolking. De minister en zijn gevolg waren weliswaar fatsoensrakkers, maar besloten de vrouw te negeren en vroegen aan hun politie om hetzelfde te doen. Dat ik koortsachtig aantekeningen liep te maken beviel ze helemaal niet: ik werd uit de delegatie gezet en onverwijld teruggestuurd naar Khartoum. Met mijn verhaal. In 2005 werd in het kader van de vredesakkoorden tussen Noord- en Zuid-Sudan – over onder andere de exploitatie van de oliebronnen door de regering – ook vastgelegd dat inwoners van het Zuiden hun gebruiken, inclusief hun kledinggewoonten mochten behouden. Maar die wet werd nog uitgebreid met een andere wet: het werd verboden om naar ze te kijken.

We waren een bont gezelschap, die bewuste nacht op het commissariaat van openbare orde. Er waren huismoeders bij, rooksters van de *chicha* – wat ons woord is voor de waterpijp, die alleen uitsluitend door mannen gerookt mag worden –, vrouwen die clandestiene alcohol stookten uit dadels en maïs – alcohol is in Sudan al verboden sinds in 1983 de sharia werd ingevoerd – en theeverkoopsters. Dat laatste is in Khartoum een heel populaire broodwinning. Duizenden armoedzaaisters uit de provincie kopen met hun laatste geld een gammele tafel en een houtskoolkomfoor, en met twee stoelen en een tapijt improviseren ze onder een boom een theesalon, waarmee ze voorzien in het levensonderhoud van hun families. Voor een habbekrats serveren ze gember- of kardemomthee. Ik ken geen Sudanees, arm of rijk, die niet zweert bij deze stalletjes. De theeverkoopsters, die de 'theedames' worden genoemd, werken noodgedwongen zonder vergunning omdat er voor die nering geen licentie bestaat. Van tijd tot tijd worden ze dan ook opgepakt; hun spullen worden in beslag genomen. Ze worden wegens schending van de publieke zedelijkheid gegeseld met touw, met leer, plastic of met de klassieke zweep van nijlpaardleer, dat zo hard als staal is. Hun strafblad wordt steeds langer, maar ze hebben geen andere keuze dan steeds maar weer een nieuwe tafel en een komfoor te kopen.

Gebruikmakend van de onoplettendheid van de bewakers stopte ik het kind dat de agenten thee bracht een briefje met een telefoonnummer en wat geld in de hand. Ik fluisterde mijn naam en hij glimlachte begrijpend. Hij was duidelijk gewend aan zulke spelletjes. Ik liet hem Hanadi bellen, een oude vriendin. Ik wilde mijn familie geruststellen.

Hanadi kwam al heel snel, samen met haar oom. Sinds mijn aanhouding was er minstens tien uur verstreken. Ik had al die tijd niet geslapen, niet gegeten en ik had me niet kunnen opfrissen. Ik begroette ze als mijn verlossers. Vooral de oom, een voorname man die zich garant voor me stelde, waardoor ik dat akelige commissariaat de volgende ochtend zou mogen verlaten. Dan was het zondag, de eerste dag van de werkweek, en dan hervatte ook het gerecht zijn werkzaamheden.

Het gerecht? Het is wel een erg flatteuze term voor een islamitische rechter, bijgestaan door de functionaris die verantwoordelijk was geweest voor de arrestatie van de dertien 'delinquenten', die op vrijdagavond waren aangevoerd in de gammele busjes van de Sudanese politie. Dertien delinquenten die samen zouden worden berecht in een zaaltje naast het commissariaat. Twee mannen kwamen ons groepje nog versterken. Twee advocaten. De eerste was ingeschakeld door de familie van de twee onfortuinlijke zusjes die in Oum Kalthoum waren opgepakt. De tweede advocaat was door de Verenigde Naties gestuurd om mij te verdedigen. Omdat wij drieën een verdediger hadden, zouden we als laatsten worden berecht. Ik begon het vreemde gevoel te krijgen dat ik een lijk was en ontleed werd door een rechter en een politieman. Ik hield me groot, ik steunde mijn lotgenoten. Ik bleef glimlachen. Ik hield het vol totdat de jongste van ons in de beklaagdenbank werd geduwd. Een kind van zestien. Ze huilde niet, ze stond maar te beven. Ze stond als verstijfd. Aan haar voeten vormde zich een plas. Ze had het als een klein kind in haar broek gedaan. Ik merkte dat ik huilde en dat mijn handen nat werden van de tranen.

Het was alsof het doek werd opgehaald voor een toneelstuk.

'Je hebt met je onfatsoenlijke gedrag de publieke zedelijkheid ondermijnd, je hebt een broek gedragen, je hebt de gevoelens van de omstanders gekwetst. Geef je deze feiten toe? Als je schuld bekent en zweert dat je het nooit meer zult doen, zal je straf beperkt blijven tot tien zweepslagen. Als je je onbetamelijk blijft gedragen, word je veroordeeld tot veertig zweepslagen.'

Een voor een kwamen de beklaagden naar voren. Een voor een luisterden ze naar de het voorlezen van de beschuldiging. Een voor een werden ze bekeken door de politieman, die de enige toegelaten getuige was en die telkens bevestigde: 'Ja, zij is het.'

Een voor een bekenden ze, met verstikte stem en verstijfd van de zenuwen. Een voor een werden ze naar een aangrenzend vertrek gebracht. Een voor een werden ze met hun gezicht naar een door braaksel en bloed besmeurde muur gekeerd vastgehouden door twee sterke mannen. Een voor een bogen ze voorover. Ze konden hun beul niet zien: een vrouw die furieus met de zweep zwaaide. En een voor een ondergingen ze hun straf. Te horen aan het gegil dat ze de gestraften ontlokte moest deze beul goed aangeschreven staan bij haar bazen.

'Je hebt door je onfatsoenlijke gedrag de openbare zedelijkheid ondermijnd. Beken je de feiten?'

De politieman had het tegen mij. Voordat de rechter iets kon zeggen, kwam mijn advocaat tussenbeide: 'Protest!'

Waar bemoeide hij zich mee? Het was aan mij om te antwoorden! Hij liet me niet aan het woord komen, begon aan een lang betoog en zwaaide triomfantelijk met een stuk papier:

'Op grond van het in 2005 tussen Sudan en de VN getekende SOFA-akkoord met betrekking tot de status van de VN in Sudan, is dit proces ongeldig. De SOFA is van toepassing op het lokale personeel en u had eerst de VN-missie op de hoogte moeten stellen, zoals dat hoort voor elke overtreding begaan door een lid van die missie. Ik eis daarom onmiddellijke vrijlating van mijn cliënte.'

De rechter besloot eerst met de autoriteiten te overleggen en ik kreeg een nieuwe dagvaarding voor de volgende dag. Dan zou een vrouw zich met mijn zaak bezighouden. Ik heb die vrouw nooit te zien gekregen: die maandag was de politie volledig in beslag genomen door een razzia van chicharooksters. Niemand nam trouwens aanstoot aan mijn pantalon en mij werd beleefd verzocht om de volgende dag, dinsdag, terug te komen. Het proces kreeg een merkwaardige wending. Op dinsdag bleken de spelregels veranderd te zijn: 'U begrijpt dat het ondenkbaar is dat een vrouw zich met uw zaak zou bezighouden. We zullen een man belasten met het tegenonderzoek. Een ogenblikje geduld, er is hier vast wel ergens een politieman beschikbaar.'

Ik begreep er niets meer van, maar niets kon me meer verbazen. Ik keek er zelfs niet van op te ontdekken dat het tegenonderzoek zou worden gedaan door dezelfde man die me vier dagen tevoren had laten arresteren. Hij herhaalde de eerste vragen: mijn naam, mijn leeftijd en mijn adres. Hij vroeg me of ik schuld wilde bekennen, in welk geval mijn straf dan 'maar' tien zweepslagen zou zijn. Ik bleef weigeren om de naam te geven van de stam waar ik bij hoorde.

'Ik ben Sudanese. Punt uit.'

'Als je Sudanese bent, waarom draag je dan een pantalon?'

'Omdat ik dat prettig vind. Ik heb er meer dan één en ik draag vaker pantalons dan jurken.'

'Dat is verboden,' zei hij.

Alsof ik het niet wist.

'Ik ben geen uitzondering. Van de 43.000 vrouwen die jullie alleen al in 2008 hebben gearresteerd en veroordeeld wegens schending van de publieke zedelijkheid, ondergingen de meeste dat lot omdat ze een lange broek droegen. Al waren het heel wijde broeken! Dat bezorgde ze voor hun leven lang een strafblad met het onuitwisbare stempel: AANTAS-

TING VAN DE PUBLIEKE ORDE EN ZEDELIJKHEID. Vanwege een lange broek...'

'Zo is de wet nu eenmaal. De islamitische wet. De sharia.'

Ik kon me niet inhouden, hoewel ik wist dat het mijn zaak alleen maar erger maakte.

'Je bent bij de politie, vriend, dus laten we het even over de politie hebben. Je was er misschien al bij vóór 1989, vóór de staatsgreep van Al-Bashir. Herinner je je vrouwelijke collega's van toen nog? Ze droegen net zo'n uniform als jij. Net zo'n pantalon en net zo'n overhemd met korte mouwen. Was dat niet schandalig? Dan is onze politie behoorlijk aanstootgevend...'

'Je dwaalt af. Je vriendinnen zijn gegeseld en jij kunt mooi praten omdat je je als VN-werkneemster kunt verschuilen achter je onschendbaarheid. Jij verdient ook geseling, maar je hebt de wet weten te ontduiken. Maar slechts voorlopig, neem dat maar van mij aan.'

'Ik verschuil me nergens achter, ik verzet me tegen een ongrondwettige wet.'

'Maar... ik voer de wet toch uit,' zei hij, zichtbaar van zijn stuk gebracht.

Ik begon de overhand te krijgen in dit gesprek. Ik zag de opening en benutte die gretig.

'Jij voert de wet uit. En ik verzet me, omdat het een slechte wet is. Een wet waarvan de uitvoering helemaal afhangt van de genadigheid van een willekeurige politieman. Jij hebt het eerste onderzoek naar mij gedaan, jij hebt mij gearresteerd. En nu word je ook weer belast met het tegenonderzoek. Kun je me dat uitleggen?'

'Probeer niet de slimste te zijn. Ondanks je onschendbaarheid sleep ik je voor de rechtbank van openbare orde. Je zult een proces krijgen. Net als alle anderen. En ondanks alle inmenging van de vn.'

Ik wist ook dat de vn zou ingrijpen en het proces nietig zou laten verklaren. Maar vanaf dat moment wilde ik juist dat het proces zou doorgaan. Ik wilde een wet bestrijden die een onrechtvaardige wet was waar de vrouwen van mijn land het slachtoffer van zijn. Op dat moment, voor het bureau van die politieman, is de 'zaa- Lubna al Hussein' aan het rollen gegaan.

2

Omdurman:
een Sudanese kindertijd

'Wie van ons stierf in het land waarvan hij het ontstaan nog heeft meegemaakt?'

Dat zei mijn grootmoeder tegen mij, mijn lieve *habouba*, in een poging om me te troosten.

Ik was negen jaar en ik huilde om mijn vader. Mijn vader was geboren in 1924, in de stad Abiad, in Sudan. Hij stierf in 1982 in Medina, de heilige stad van de islam, waar hij vóór zonsondergang werd begraven. Zijn moeder, mijn grootmoeder, die hoorde bij de Sudanese stam van de Badirya, ligt begraven in Abiad. Mijn habouba, de moeder van mijn moeder, werd geboren in Mekka, maar haar familie is afkomstig uit Mauritanië, het land van herkomst van de Chanakit. Haar man Saad Maamari, mijn grootvader van moederskant, kwam uit Jemen en is gestorven in Wad Madani, in Sudan.

Ik ben geboren in Omdurman, de zusterstad van Khartoum, waar de Blauwe Nijl samenvloeit met de Witte Nijl. Waar ik zal sterven weet ik nog niet. Zoals de beide Nijlen die zich in Sudan verenigen tot de rivier die door Egypte verder stroomt tot aan de Middellandse Zee, ben ik het resultaat van vermenging. Mijn roots zijn zo verscheiden als de pelgrims die nog tot halverwege de vorige eeuw te voet of op hun rijdier mijn land doorkruisten en die afkomstig waren uit de Maghreb, Mauritanië of nog dieper uit Afrika kwamen. In Port Sudan namen ze de boot en staken de Rode Zee over naar Djedda. Vandaar trokken ze verder de Hidjaz in, het heilige land waarin Mekka en Medina liggen, die het einddoel waren van hun hadj, hun bedevaart. Was het op de heen- of op de terugweg dat mijn voorouders besloten in Sudan te blijven? De inwoners van dat land onthaalden hen met open armen en boden hun zelfs soms hoge ambten aan. In 1953 werd een Mauritaniër het geschiktst werd gevonden om het eerste Sudanese parlement voor te zitten. Het was niet een kwestie van hoogmoed en ook geen provocatie dat Mohammed Saleh Chanakiti met zijn naam zijn band met Mauritanië, het land van de Chanakit, bleef benadrukken. Het was in overeenstemming met de hartelijkheid van zijn gastheren die migranten bejegenden zoals alle andere Sudanezen en hen aanduidden met de naam van de stam waarbij ze hoorden. Iedereen die uit Mauritanië kwam was voor hen een Chanakit; de mensen uit Noord-Afrika heetten Maghrebijnen. Ze hoorden gewoon bij de driehonderdvijf stammen. Ze werden beschouwd als Sudanezen, net als de Grieken, de Joden en de Turken, aan wier loyaliteit ten opzichte van het land evenmin werd getwijfeld. Hier was niemand een 'vreemdeling'.

Er stroomt Arabisch en Afrikaans bloed door mijn aderen. Ik ben Sudanees via de stam van de Badirya – waartoe ook de eerste president van de republiek behoorde –, ik ben Jemenitisch en Mauritaans en via mijn voorvaderen moet ik nog van duizend andere origines zijn. Ik hoor bij al die volkeren die men hier soms, in volle onschuld, de 'eerbiedwaardigen' en de 'zwarten' noemt. Ik ben tegelijkertijd 'eerbied-waardig' en 'zwart'. Ik ben ook een kruising tussen het volk en de aristocratie, tussen de armen en de rijken. Ik ben opge-groeid bij allebei en door beide partijen werd ik beschouwd als een van de hunnen.

Aan mijn vroegste kinderjaren bewaar ik maar vage her-inneringen. Ik was de oudste van de kinderen van mijn moeder; mijn vader had al drie zoons van zijn eerste echtge-note. Mijn moeder was zijn favoriete en zij ging altijd met hem mee op zijn vele reizen; eerst in Sudan, waar hij handel-de in landbouwproducten, en vervolgens in Saudi-Arabië, toen hij daar een veehandel begon. Ze reisden samen ook naar andere landen in de regio, naar Engeland en zelfs naar Athene. Mijn moeder vertelde ons over de gebruiken in die verre streken, over mist en kou. Over de rare gewoonten van de vrouwen die er zonnebaadden in een bleek zonnetje dat nog zwakker was dan onze winterzon en dat niet meer licht gaf dan de maan. Ik heb bijna twee jaar bij hen gewoond, in Djedda, waar mijn vader een appartement had gehuurd. Ik had het daar vreselijk benauwd, we kwamen er nauwelijks buiten en ik verlangde naar ons huis in Omdurman, dat midden in uitgestrekte velden lag.

Toen ik oud genoeg werd voor de basisschool, ging ik ook in Omdurman wonen, met mijn habouba en met mijn tan-te, die weduwe was, en haar vijf kinderen. Mijn moeder had nog twee kinderen gekregen: een jongen, Tarek, en een meis-je, Rabab. Tot zij ons volgden naar Omdurman, was ik de jongste in huis, het nakomertje, het meest vertroetelde, over-beschermde lievelingetje. De sfeer thuis was een en al warm-te en liefde; ik ontving tonnen tederheid.

Ik ging naar de openbare Mohammed Soliman-school,

vlak bij ons huis in de wijk Arda. Ik kon toen al lezen. Daar had mijn habouba voor gezorgd. Habouba heette voluit Maryam Bint el Cheik, oftewel Maria, dochter van de sjeik. Haar vader, Bakri Chanakiti, een Mauritaniër zoals zijn naam aangeeft, was telg van een oud geslacht van sjeiks. Het waren geletterde mannen die het Arabische schiereiland doorkruisten en die gerespecteerd werden vanwege hun kennis. In steden, dorpen en nederzettingen gaven zij hun kennis door en ze leerden er ook weer nieuwe dingen. Maryam was nooit naar school geweest, maar ze kon lezen en schrijven en kende de Koran uit het hoofd. Ze leerde me het alfabet en de soera's, de Koranverzen.

Habouba is de vrouw die me het meest heeft beïnvloed. Ze was groot en slank. Ze was niet echt mooi, maar was wel een eigenzinnige vrouw en een sterke persoonlijkheid. Ze ging niet graag om met de buren, had een hekel aan vrouwenpraatjes en beperkte haar sociale leven tot de noodzakelijkste verplichtingen: de ceremonies rond geboortes, besnijdenissen, huwelijken en overlijden. Heel ongebruikelijk was het feit dat ze vier keer getrouwd was en vier keer alleen kwam te staan, als weduwe of gescheiden vrouw. Ik hoor bij de stam van haar derde man, een Jemeniet die was neergestreken in Wad Madani. Zij was voor haar mannen niet alleen een echtgenote, maar een volwaardige gezellin en partner. Na haar vierde huwelijk, met een Saudiër, begon mijn grootmoeder een handel in geurstoffen, zoals muskus en amber, die ze importeerde uit Arabië en opsloeg in ons huis, dat daardoor altijd rook naar bedwelmende exotische parfums. De groothandel was een uitzonderlijke activiteit voor vrouwen, die doorgaans liever detailhandel bedreven op de markt. Habouba had echter een 'mannenstiel' gekozen.

Soms mocht ik met haar mee naar de soeks van Omdurman waar ze haar waren verkocht en ik keek toe hoe ze over de prijs onderhandelde en het geld opstreek waarmee ze haar huishouden bekostigde.

Waren we arm of waren we rijk? Ik heb geen idee. Rijken en armen leefden op dezelfde manier en droegen dezelfde kledij. Er was geen overvloed die begerigheid opwekte. De rijken die niet wisten wat ze met hun geld moesten doen, gaven het trouwens uit aan de armen. We woonden in een, zoals de meeste huizen van de stad, naar aloud gebruik gebouwd huis van gedroogde modder, bestreken met rode klei. Ieder jaar, net voor het regenseizoen, lieten we werklui komen die het opnieuw bedekten met een mengsel van stro en koemest. Zo was het bestand tegen weer en wind. Het was een bescheiden huis, waar we niet de privacy hadden die stedelingen nu eisen. We leefden gezamenlijk, we deelden kasten, dekens en bedden. We vormden een grote familie, zonder onderscheid te maken tussen broers en zusters, neven en nichten. Heel vaak sliepen we buiten. Nog steeds slaap ik het liefst met de sterrenhemel als enige dak boven mijn hoofd. In mijn huis in Khartoum staat mijn bed in de tuin. Daar blijft het zelfs in de winter, als het 's nachts rond de min tien graden is; dan rol ik me in een dikke deken en adem vrijheid in. Als het regent of er een andere dwingende reden is, breng ik de nacht natuurlijk door in mijn slaapkamer. Maar ik voel me er nooit in mijn natuurlijke element.

In Omdurman verzamelden we ons rond een uur of vier in de namiddag in de grootste kamer van het huis voor de maaltijd. Dat was een vast ritueel en we wachtten op de laatkomers voordat we begonnen. Op het tapijt zette mijn grootmoeder een groot presenteerblad met ronde maïsbroden, schalen met rijst, met aardappelen, vlees en soms ook met gombo's, uien en tomaten. We aten allemaal van dezelfde schaal, sopten ons brood in de saus en gebruikten onze hand om gekruide rijstbolletjes te maken. Hetzelfde menu werd in alle huizen gegeten. Het leven was eenvoudig en ongecompliceerd.

Als mijn vader thuiskwam van een van zijn reizen, pendelde hij heen en weer tussen ons huis en dat van zijn andere vrouw, die met haar zonen op een steenworp afstand woonde. Haar kinderen waren ouder dan ik en hoorden niet bij mijn vriendenkring. Als mijn vader op reis was, waren we bijna uitsluitend met vrouwen – de enige mannen in huis waren de zoon van mijn tante en later mijn broertje Tarek, toen ook hij de schoolgaande leeftijd had bereikt. Ons sociale leven speelde zich af onder vrouwen en had bruiloften als hoogtepunten. Dat waren toen nog niet de korte ceremonies van tegenwoordig, maar traditionele huwelijken waarvan de voorbereidingen een heel seizoen in beslag namen en waaraan de hele wijk deelnam. Met de andere meisjes glipte ik de slaapkamer van de bruid binnen, waar wekenlang een heel programma van vetmesten en beroken werd afgewerkt. Ik zag haar vette en zoete hapjes naar binnen werken om lekker dik te worden. Vervolgens hulde ze zich in de rookwolken van brandende acaciasnippers, snippers van een boom die beroemd is om zijn huidverzachtende eigenschappen. Ik vond het vooral heerlijk elke dag twee uur te mogen meedoen met de uitbundige dansles die ze kreeg van haar familie en vrienden en die nog werd geperfectioneerd door beroepsdanseressen. Pasje voor pasje leerde de verloofde hoe ze zich op de dag van haar huwelijk al dansend door de straat moest begeven zoals het oude, inmiddels verboden

Sudanees gebruik dat wilde. Naarmate de huwelijksdatum naderde, werden de voorbereidingen intensiever, tot aan de zwartehennaceremonie die zich voltrok onder het gejoejoe van de vrouwen. De verloofde, nu bijna bruid, stak haar handen en voeten uit om ze te laten versieren met fijne motieven. Vervolgens stak ze haar vingertoppen in het hennamengsel, een gebaar dat ze zodra ze getrouwd was zou herhalen om haar nieuwe status aan de wereld kenbaar te maken. Daarna begon een groot festijn, waarvoor natuurlijk de hele buurt werd uitgenodigd en dat tot in de kleine uurtjes zou duren.

Ons huis was het laatste huis van Arda. Daarna had je savannes, braakliggend terrein en velden die na het regenseizoen groen werden en waar alle mogelijke planten groeiden. We maakten er een sport van om die allemaal te leren herkennen. De oevers van de Nijl waren weelderig begroeid en er nestelden ontelbare vogelsoorten. Met de andere kinderen uit de buurt maakten we katapulten waarmee we probeerden vogels te raken. De behendigste kinderen slaagden er zelfs in om ze levend te vangen en verkochten ze aan degenen die minder geluk hadden of ruilden ze tegen iets lekkers. Ik heb ook wel eens een vogel gekocht, met de bedoeling hem in een kooitje te houden. Maar toen ik de andere vogels vrij zag rondvliegen kon ik de drang niet weerstaan om het diertje los te laten zodat het terugkon naar zijn soortgenoten. Gevangenschap, van mezelf of van anderen, heb ik nooit kunnen verdragen.

In Omdurman was de hele wereld van ons. We zaten nooit binnen en de straat was ons speelterrein. De meisjes hinkelden of sprongen touwtje, maar ze waren niet van mijn leeftijd. Daarom deed ik mee met de jongensspelletjes: jagen, hardlopen, maar vooral voetballen. Omdat ik groter was dan de meeste kinderen (ik heb het lange lijf van mijn habouba geërfd), kreeg ik de bal gemakkelijk te pakken en daarom hadden mijn vriendjes mij tot keeper gekozen. Ik was heel close met mijn broertje Tarek. Door het leeftijdsverschil had ik minder contact met mijn zusje Rabab.

Achter de velden, in Al-Jouw, lag een kleine vallei die na regens en bij hoogwater volliep en waar de herders water haalden en hun dieren lieten drinken. Arabische nomaden hadden de heuvel boven die vallei uitgekozen als bijna permanente pleisterplaats. Ze hadden er hun tenten opgslagen en lieten er hun kudden grazen. Iets verderop had zich een andere stam gevestigd, die traditiegetrouw alcohol stookte, van dadels en vooral van maïs. In die tijd was alcohol nog niet verboden in Sudan, maar uit bezorgdheid voor de volksgezondheid had de overheid wel de huisgestookte alcohol in de ban gedaan. De Sudanezen, tenminste de bewoners van onze wijk, wantrouwden deze illegale stokers des te meer omdat ze bekendstonden om hun wilde feesten, waarbij ze muziek maakten en uitzinnig dansten. Het was geen toeval dat die twee kampen, waarin de zeden en gebruiken erg van elkaar verschilden, zo dicht bij elkaar stonden. Beiden stammen hadden elkaar bijna nodig om te overleven. In het droge seizoen, als de savanne zo dor was als de woestijn, gebruikten de nomaden wat er overbleef na het alcoholstoken als veevoeder. De alcoholstokers op hun beurt waren blij dat ze hun restafval konden verkopen.

Twee keer per dag, 's ochtends voordat de school begon en ook weer tegen de avond, moesten wij kinderen melk gaan halen. We liepen daarvoor door de velden naar het kamp van de nomaden, die leefden van de verkoop van hun melk.

Het was ons streng verboden om in de buurt te komen van het kamp van de alcoholstokers, waar we muziek en gelach hoorden. Het spreekt ook vanzelf dat we ons van het verbod niets aantrokken en vanaf een veilige afstand en bang om betrapt te worden gefascineerd keken naar die andere wereld. Na ons uitstapje naar de nomaden liepen we dan met onze volle melkbusje braaf terug naar de stad. Trouwens, ondanks dat verbod om in de buurt van deze mensen te komen waren hun kinderen wel onze speelkameraadjes. Sommigen van de kinderen gingen ook naar school in Arda en zaten bij ons in de klas. Andere kwamen nadat we ons huiswerk hadden gedaan en we eindelijk vrij waren met ons op straat spelen. Ze mochten bij ons thuis komen, ze waren onze vriendjes.

Op een dag hebben de ordediensten zonder enige waarschuwing het kamp van de alcoholstokers ontruimd. De stam werd uit de buitenwijken van Omdurman verjaagd. Ik hoorde het pas de volgende dag, toen hun kinderen niet naar school kwamen. Die namiddag kwamen ze ook niet op straat spelen. Ik miste mijn vriendjes. Uit gesprekken tussen de volwassenen had ik afgeleid wat er was gebeurd en ik begreep niet waarom ze zo opgejaagd werden. Een tijdje later vertrokken ook de nomaden. Gingen ze de alcoholstokers achterna, die ze zo nodig hadden om hun kuddes in leven te houden? Ik weet niet wat er van ze is geworden. In de loop der jaren breidde Omdurman zich gestaag uit. De stad vrat gaandeweg de velden aan. Tegenwoordig is mijn savanne helemaal bebouwd. Er zijn geen planten en geen bonte vogelfauna meer.

Elke ochtend gingen we naar school. In die late jaren zeventig waren er in Sudan nog haast geen privéscholen, behalve enkele door nonnen geleide christelijke scholen. Ik ging dus naar een openbare meisjesschool in de buurt. Daar zaten kinderen van alle sociale klassen, dus zelfs de kinderen van nomaden die enkele maanden of zelfs jaren op dezelfde plek bleven. Nu nog, als ik het woord 'school' hoor, denk ik meteen aan die rij eenvoudige uit gedroogde klei opgetrokken lokalen midden in het kale veld, die zo belangrijk waren voor ons onderricht. Ik kan me bij dat woord moeilijk een gebouw voorstellen waar geen tuin bij hoort waarin kinderen kunnen hollen en spelen. De Mohammed Soliman-school was niet slechts een plek waar we leerden lezen en schrijven; we leerden er ook over het leven. De onderwijzers brachten ons niet alleen boekenwijsheid bij en ze zagen hun opdracht ook niet in de eerste plaats als 'werk'. Tussen de school, de onderwijzers en ons bestond een diepe gevoelsband. Eén van de gebouwtjes had nog een extra warm plekje in ons hart: het huis van de opzichter. Die was voor ons veel meer dan alleen maar opzichter en zijn vrouw was als een tweede moeder voor ons. Zijn kinderen waren onze vriendjes. We konden er altijd terecht voor troost, voor een luisterend oor en we kregen er als het nodig was ook op onze donder. Intussen is de opzichter vervangen door een veiligheidsman die op vaste uren vanaf zijn stoel alles in de gaten zit te houden.

De lessen hielden op om één uur 's middags, maar twee keer in de week kwamen we in de namiddag terug voor wat men de 'activiteiten' noemde: creatieve en culturele activiteiten, gymnastiek, tuinieren en verzorging van pluimvee. Natuurlijk was er ook de padvinderij, waar mijn vader me absoluut had willen inschrijven. Tijdens de schoolvakanties waren de bijeenkomsten in het schoolgebouw. We leerden tuinieren, wat tevens een kennismaking was met de grondbeginselen van ecologisch denken.

Ik was een goede leerling en altijd een van de eersten van de klas, vooral in opstel en in wiskunde. In het begin van het tweede jaar koos ik het maken van de schoolkrant als voornaamste activiteit. Ik had helemaal niet de bedoeling om ooit journaliste te worden, maar in de schoolkrant vond ik een uitlaatklep voor mijn ongebreidelde verbeelding. Ik illustreerde alle pagina's zelf: met vierpotige kippen, schapen met koeienkoppen en de meest fantastische bloemen. Ik las dolgraag en aan het begin van elke maand haastte ik me naar de krantenkiosk om het kindertijdschrijft *Al-Soubian,* 'De jongens', te kopen. Door de artikelen en de foto's ontdekte ik de wereld, ik was verrukt door de fantastische verhalen die erin gepubliceerd werden. Nog wat later, toen ik een jaar of acht was, stuurde ik een verhaaltje naar de redactie. Het was een verhaaltje van maar vijf regels, maar het werd gepubliceerd en mijn naam kwam eronder te staan. Ik was buiten mezelf van vreugde! Toen ik het hoorde, holde ik naar de kiosk, kocht alle vijf de exemplaren die er nog over waren en deelde die uit aan mijn vriendjes en vriendinnetjes. Later verslond ik de tijdschriften waar mijn oudste nichtje dol op was. Ze nam me ook wel eens mee naar haar toneelavondjes en dan kreeg ik soms zelfs wel eens een rolletje toebedeeld. Ik had toen nog geen flauw idee wat ik later wilde gaan doen, maar ik sloot niet uit dat ik misschien wel 'schooljuffrouw' zou worden.

Ik ging graag naar school. Ik was minder te spreken over de straffen die we er kregen: we kregen slaag met een liniaal op onze handpalmen, afwisselend op de ene en dan op de andere hand. Zo was het reglement en het kwam niet bij je op om te protesteren, want je had het tenslotte verdiend, al waren de vergrijpen niet ernstig: je had iets vergeten, een schrift thuis laten liggen, een huiswerktaak niet ingeleverd. We vonden de straffen terecht en we kenden van elke overtreding het 'tarief'. Ik was acht jaar toen ik me wel een keer durfde te verzetten. Die dag waren alle veertig leerlingen van de klas erg lastig en de nieuwe juf, een stagiaire, besloot negen kinderen, onder wie ik, te straffen. Ik was de middelste van de rij. Ik zag dat ze niet sloeg zoals de andere leerkrachten. Zij sloeg met de liniaal keihard op de rug van de hand, niet op de binnenkant en ook niet, zoals het hoorde, afwisselend op de ene en dan weer op de andere hand.

Toen ik aan de beurt kwam stak ik mijn handen niet gedwee uit maar stopte ze diep in mijn zakken en zei dat ik ze alleen maar tevoorschijn zou halen als ze op twee handpalmen zou slaan en niet op de rug van maar één hand. Als straf voor mijn koppigheid moest ik met mijn gezicht naar de muur toe in de hoek gaan staan. Ik was razend, niet vanwege de straf, maar vanwege de onderdanigheid waarmee mijn klasgenootjes zwijgend hun straf ondergingen, terwijl ze in tranen waren door die harde klappen. Al snel bleek dat ik gelijk had door in opstand te komen. Ik moest bij de directrice komen en vertelde haar wat er was gebeurd; ik triomfeerde toen ik haar blik zag. De volgende les mocht ik gewoon weer bijwonen zonder dat ik slaag kreeg en de onderwijzeres deed net of haar neus bloedde. De dag daarop kreeg een andere leerlinge straf. De liniaal kwam kletsend neer op haar handpalmen. Eerst op de ene, dan op de andere. Mijn overwinning had nog een ander gevolg: op de driemaandelijkse ouderavond kwam de kwestie van de straffen aan de orde en er werd unaniem besloten tot behoud van de gebruikelijke lijfstraf, namelijk toediening van lichte klapjes op de handpalmen. Ik had gewonnen.

Mijn familie was een bonte mengeling van stammen en huidskleuren, van zwarten en Arabieren, die zich allemaal Sudanees voelden en moslim waren. In onze straat en onze wijk woonden ook families die het animisme of het christendom aanhingen en die overwegend uit het zuiden van het land afkomstig waren. Hun kinderen gingen naar dezelfde school als wij en we speelden samen op straat. We kwamen zelfs bij elkaar thuis. Mijn grootmoeder was wel onverbiddelijk op één punt: 'Je mag met ze spelen, je mag met ze mee naar huis gaan, je mag zelfs bij ze blijven eten, maar je mag nooit vlees bij hen eten.'

Ze had me de voorschriften van halal, dat betekent letterlijk 'wat is toegestaan', uitgelegd. Moslims mogen alleen vlees eten van dieren die gekeeld zijn met de kop in de richting van Mekka, *bismillah*, in de naam van Allah.

'Maar habouba, hoe kan ik nu weten of de beignets die ze me aanbieden gevuld zijn met vlees of met groenten?'

'Neem geen beignets, maar eet brood, salade en fruit.'

Om habouba niet teleur te stellen heb ik dat altijd gedaan.

Omdurman had tijdens de religieuze feesten een heel bijzondere sfeer. De scholen gingen dicht en de winkels ook, de parken werden volgehangen met lampions en schommels. We mochten zelfs naar de bioscoop naar Indiase of Egyptische films gaan kijken, wat de rest van het jaar streng verboden was. We vastten de hele ramadanmaand en voor het grote feest waarmee moslims de ramadan afsluiten, kochten we een schaap en lieten een slachter komen die het dier voor ons huis slachtte en vilde. We stonden er in een wijde kring omheen en keken gefascineerd toe hoe het dier spartelde terwijl zijn bloed over straat gutste. Mijn grootmoeder en mijn moeder roosterden daarna het schaap in zijn geheel en we nodigden de hele familie uit om het met ons te delen.

Het Suikerfeest was heerlijk, maar ik keek met nog meer ongeduld uit naar een ander feest, de *Mouled*, de geboortedag van de Profeet. Volgens de islamitische kalender valt de Mouled in het midden van de maand die 'eerste lente' wordt genoemd, maar die niet hoeft samen te vallen met de lente van het schooljaar. De naam alleen al liet me wegdromen, hoewel we in Sudan dat jaargetijde helemaal niet kenden. De eerste dag van die maand trok er een lange optocht door Omdurman, voorafgegaan door ruiters die de weg vrijmaakten voor de leden van soefigenootschappen, derwisjen en een menigte volgelingen. Hun gezang galmde door de hele stad en we hoorden ze al van ver aankomen door de hoofdstraat van de Arda. We werden steeds ongeduldiger en als de optocht dan eindelijk bij het begin van onze straat kwam begonnen de vrouwen te joejoeën en de kinderen te roepen. We hadden onze nieuwste kleren aan en mijn habouba hield mijn hand stevig vast. We wachtten tot de ruiters en de derwisjen voorbij waren en liepen tussen de menigte achter ze aan tot aan tot ze op hun bestemming waren: op de brede esplanade van het Plein van de Kaliefen, waar de soefi's hun tenten opzetten en waar twee weken lang hun gebeden en hun eentonige gezangen ter ere van de Profeet klonken. De Mouled is nog altijd hetzelfde in Omdurman. Ook nu nog weerkaatsen de soefigezangen op het Plein van de Kaliefen, waar straathandelaren leuren met dadel- en notengebak in de vorm van poppetjes die rood, geel of groen gekleurd zijn. Ik kon nooit kiezen; welk poppetje moest ik nu nemen?

Tijdens de schoolvakanties gingen we vaak naar Wad Madani, waar mijn moeders vader, Saad Maamari, woonde. Hij had er zich gevestigd in 1919, toen hij uit Jemen was gekomen. Zoals veel Jemenieten droomde hij van een winkeltje in Sudan. Sudanezen zelf zagen weinig heil in die nering; zij trokken liever rond langs markten, een soort soeks die zich van wijk tot wijk verplaatsten. Mijn grootmoeder had het een uitstekend idee gevonden en had geopperd om een bakkerij te beginnen. Die bestonden toen niet in Wad Madani, waar de vrouwen hun maïsbrood nog thuis bakten. Later had ze hem gestimuleerd om zijn bakkerij te moderniseren en de houtoven te vervangen door een gasolieoven. Het was ook haar idee om tarwebrood en sorghumbroodjes te gaan bakken, die razend populair waren bij leerlingen en leerkrachten van de naburige school die ze tussen de middag kwamen eten.

Gaandeweg werd de bakkerij van mijn grootvader alsmaar bekender en begonnen ook de restaurants en herbergen van de stad zijn brood af te nemen. Alweer was het mijn grootmoeder die op het idee kwam om te investeren in riksja's, gemotoriseerde driewielers die hij uit India liet komen en waarmee hij de bestellingen aan zijn klanten liet leveren. Hij werd vermogend en liet een mooi stenen huis bouwen dat uitkeek over de Blauwe Nijl en dat hij inrichtte met bijzondere dingen en met beelden van ivoor en meubels van ebbenhout. Hij kocht ook een zwart-wittelevisie en elke dag als de Egyptische soap begon zaten er wel een stuk of dertig mensen, volwassenen en kinderen, buren en vrienden, eerbiedig zwijgend voor het toestel. Omdat ik uit Omdurman kwam, waar televisietoestellen niet meer zo'n bezienswaardigheid waren, vond ik het een uiterst boeiend schouwspel.

We deden er drie uur over om naar Wad Madani te komen als we bepakt en bezakt de bus namen. Zodra we er uitstapten stonden we te midden van de bedelaars die werden aangetrokken door de ontelbare graftombes van heiligen in de stad. Er waren evenveel pelgrims die op de tombes een gunst kwamen afsmeken of Allah kwamen bedanken en die altijd een aalmoes, een 'extra gebedje', gaven aan iedereen die zijn hand ophield. Ik ging graag met mijn tante mee als ze een van die heiligen bezocht, maar de koepeltombes boeiden me minder dan de 'bomen der behoeftigen', waaronder kooplui de plaats hadden ingenomen van de 'behoeftigen' en er vogels van allerlei pluimage verkochten, en mango's, guaves en het fruit van het seizoen. Thuis bij mijn grootvader speelden we ondanks het uitdrukkelijke verbod het liefst op de oever van wat wij de 'zee' noemden, de Nijl die langs het huis liep. De grote mensen waren bang dat we zouden verdrinken. Wij hingen rond bij de vissers die ons, in ruil voor een paar muntjes en soms zelfs gratis, op hun boten meenamen tot op het midden van de rivier.

Mijn favoriete uitstapje in de stad was het grote Oumbourana-park, met reusachtige bomen waarin honderden apen zaten. Mijn nichtjes en ik holden omhoogkijkend rond en probeerden vergeefs een van die van tak tot tak springende apen te pakken te krijgen door hem te lokken met sinaasappels en bananen. Met mijn smeekbeden lukte het me meestal wel om de volwassenen die met ons waren meegegaan over te halen om een van de babyaapjes voor te me te kopen die de marskramers in kooitjes hadden uitgestald. Ik sloot zo'n diertje in mijn armen, want het was het mooiste cadeau dat ik me kon dromen, mooier nog dan het speelgoed en de kleren die mijn vader voor me meebracht uit Arabië. We waren gelukkige kinderen. Jaren later ben ik nog eens teruggegaan naar dat park, in de hoop er nog iets van dat verloren geluk terug te vinden. Er was niets meer van over; het paradijs uit mijn kindertijd had dezelfde ramp-spoed ondergaan als de rest van mijn land.

Ik was zeven jaar toen mijn grote dag aanbrak. Mijn moe-der, mijn tante en mijn grootmoeder vertelden me al weken over het feest, over het schaap dat zou worden geslacht, over de stapels cadeautjes die ik zou krijgen. Ik kreeg zelfs een paar dagen van tevoren een rodehennaceremonie en ik was heel trots op mijn versierde handen en voeten; het waren net de handen en voeten van een bruid, alleen was de kleur an-ders. Ze hadden me ook een 'zuiveraarster' aangekondigd. Ik wist dat ze voor mij kwam, maar ik had geen idee wat ze pre-cies zuiver in me kwam maken. Het enige wat ik wist was dat er iets ging gebeuren dat onvermijdelijk en onontkoombaar was in een vrouwenleven.

Ik was zeven jaar toen ik werd besneden. Het deed pijn. Het deed vreselijk pijn. De joejoes van het feest konden mijn pijn niet wegnemen. Ik leed tien dagen lang pijn. De familie, de buren en de vrienden kwamen langs om me te feliciteren. Mama en habouba maakten versterkende gerechten voor me die ik wegduwde. Mijn beste vriendin was uitgekozen om me die hele periode bij te staan, maar zelfs naar haar wil-de ik niet luisteren. Ik bleef in bed liggen wachten tot de wond genas, wat ze me elke dag beloofden dat morgen zou gebeuren. Ik verweet mijn naasten niets; ik nam het zelfs de besnijdster niet kwalijk. Ik had altijd geweten dat het voor een Sudanese moslima een vreselijk gebrek was om niet be-sneden te zijn. 'Zoon-van-een-onbesnedene' is het ergste wat je in mijn land tegen iemand kunt zeggen. Op de elfde dag kwam ik uit bed. Zoals het gebruik wilde gingen we in optocht naar de oever van Nijl en stapte ik in het water, terwijl men Koranverzen reciteerde, zoals dat ook gedaan werd voor een bruid. Na enkele weken werd ik op mijn beurt de begeleidster van de vriendin die mij in die tien ellendige dagen had bijgestaan. De dag na haar besnijdenis ging de wond weer open. De besnijdster kwam een tweede, en toen nog een derde keer. Na enkele dagen moest ik bij haar weg. Een maand later was mijn vriendinnetje dood. Dood door besnijdenis.

Besnijdenis is in mijn land een vooralsnog onuitroeibaar gebruik. Het gebeurt alleen bij moslims; bij animisten en christenen blijven de vrouwen ervan bespaard. Er zijn mensen die beweren dat de islam besnijdenis verplicht; toch heeft niemand ook maar de minste toespeling gevonden in de Koran of in de Hadith, de uitspraken van de Profeet, die deze bewering zou kunnen staven. Tegenwoordig beperkt men zich doorgaans tot excisie: het wegsnijden van de clitoris en geheel of gedeeltelijk ook van de kleine schaamlippen. Dat volstaat, vindt men, om te zorgen dat dochters tot hun huwelijk braaf blijven. En daarmee de eer van hun ouders veiligstellen. In Sudan noemt men dit de soennabesnijdenis; soenna is ook het woord waarmee religieuze orthodoxie wordt aangeduid. Nog radicalere gelovigen verkiezen de faraonische besnijdenis, die zo genoemd wordt omdat ze werd toegepast in het oude Egypte. De Sudanese wet verbiedt deze praktijk, die bestaat uit het weghalen van de clitoris, de binnenste schaamlippen én de buitenste schaamlippen. Daarna wordt wat er overblijft van de buitenste schaamlippen aan elkaar gehecht, waarbij een zeer kleine opening wordt gelaten voor de urine en het menstruatiebloed.

Ik ken afgestudeerde, maatschappelijk actieve vrouwen, die nu nog de besnijdster laten komen om 'de toekomst van hun dochters veilig te stellen'. Ik ken ook simpele vrouwen, vrouwen uit het volk die weigeren om hun kinderen te laten besnijden, omdat ze hun eigen pijn nooit vergeten zijn.

Ik ken briljante mannen die eisen dat hun vrouw na elke bevalling opnieuw wordt 'gezuiverd' en dichtgenaaid; haar gedwongen seksuele onthouding waarborgt zijn eer. Ik weet dat dochters nog steeds sterven doordat ze 'gezuiverd' worden in abominabele hygiënische omstandigheden. Ik ken mannen en vrouwen die zich dolgraag zouden laten overhalen om die praktijk af te zweren, als ze maar te horen zouden krijgen dat hij niet verplicht is volgens de soenna, de islamitische wetten. Wat heeft de islam hier in vredesnaam mee te maken? Is de islam soms die 'rechtsgeleerde' die nog onlangs zo tekeerging tegen de lange broek? 'Zelfs in haar slaapkamer mag een vrouw dat kledingstuk niet dragen, omdat zij niet het recht heeft zich als man te vermommen,' zei hij en bepleitte vervolgens het dragen van de nikab die de vrouw, op slechts een oog na, helemaal bedekt. Zijn islam die bedenkers van fatwa's, de zogenaamde sjeiks die uit naam van ik-weet-niet-welke-godsdienst de vaccinatie van kinderen hebben verboden?

Ik was negen jaar en ik rouwde om mijn vader. Habouba probeerde me te troosten. Zij wist, net zomin als ik, dat we het einde van een wereld beweenden. Het einde van de zorgeloze jaren...

3

Het einde van een wereld

Na de dood van mijn vader die, zestig jaar oud, stierf aan het begin van 1982, ging mijn moeder met ons in het huis in Omdurman wonen. Na de rouwperiode van enkele maanden pakten we gaandeweg de draad van ons leven weer op. Ik was voortaan anders dan de andere kinderen: ik had geen papa meer. Ik vond het vreselijk dat ik op school het vakje 'beroep vader' niet meer kon invullen. Eerlijk gezegd schaamde ik me dat ik anders was en had ik het gevoel dat ik een gebrek had. Het was afgelopen met de cadeautjes waar we zo aan gewend waren geraakt, het speelgoed en de kleren die hij voor ons meebracht uit de Arabische landen. Wat dat betreft werd ik tenminste wel weer net als de andere kinderen.

Habouba luisterde steeds vaker naar de radio. Niet naar muziek of amusementsprogramma's, maar naar het nieuws. Aan het einde van de nieuwsberichten stonden er dan zorgelijke rimpels op haar voorhoofd. Ze leek ongerust. Mijn oudste nichtje Amal, dat al op de middelbare school zat, las stapels kranten die haar diep verontwaardigd maakten. Zelfs de buren durfden als ze bij ons kwamen theedrinken de religieuze rechtmatigheid in twijfel te trekken van wat er in Sudan gebeurde en waarvan ik maar een heel verwarde indruk had. Ik vluchtte in het schrijven van gedichten, ik speelde op straat; de zorgeloosheid van de kindertijd kreeg dan weer de overhand.

In september 1983 introduceerde president Jaafar Numeiri de sharia, de islamitische wet zoals hij die interpreteerde, in het strafrecht.

'De islam gaat over barmhartigheid, niet over straffen,' fulmineerde Amal die dag.

En ze liet me samen met haar, met habouba en mijn moeder naar de nieuwsberichten op de televisie kijken. Mijn ogen gingen wijd open van afschuw: mensen, burgers van Khartoum, werd de hand afgehakt omdat ze iets hadden gestolen! Vanaf die keer keek ik elke avond naar het nieuws, een nogal misplaatste term voor de ononderbroken stroom van namen, foto's en uit naam van de sharia voltrokken straffen. Ik durfde zelfs niet te grinniken toen ze beelden gaven van honderden liters gin en whisky die in de Nijl werden uitgegoten, omdat alcohol voortaan verboden was in Sudan. De volgende dag liet Amal me een krant zien met een spotprent van straalbezopen vissen. Ik kon mijn lachen niet inhouden. Amal was helemaal ontdaan, pakte mijn hand vast en vertelde de bittere waarheid over wat er in het land aan het gebeuren was: 'Rechters die weigeren om de sharia toe te passen worden ontslagen. In hun plaats worden volstrekt onbekwame mensen benoemd. Ze weten nergens iets van, niet van de islam en niet van het recht. Stel je even voor wat er wordt van een land waarin geen echt rechtssysteem bestaat. Dat is vragen om misstanden. Het wordt een nachtmerrie voor jou, voor mij, voor ons allemaal. We gaan terug naar de middeleeuwen.'

Amal sprak met me alsof ik een volwassene was en ik wilde haar vertrouwen niet beschamen. Door te lezen en te luisteren kreeg ik een overzicht van de gebeurtenissen. In 1969 had Jafaar Numeiri een staatsgreep gepleegd. Hij was zijn politieke loopbaan begonnen in het spoor van het Arabisch socialistisch nationalisme en de Egyptische leider Nasser. Hij zocht steeds meer toenadering tot de Moslimbroederschap (en de Verenigde Staten) om zich te beschermen tegen de communistische oppositie, die werd gesteund door de Sovjet-Unie – die hij na een flirt van enkele jaren de rug had toegekeerd. In 1977 werd er een commissie van wijze mannen opgericht die onder voorzitterschap van Hassan al-Turabi moest onderzoeken hoe de sharia kon worden ingevoerd in het rechtssysteem. Dit comité deed een aantal mislukte pogingen om een 'islamitische' belasting in te voeren en het regime gleed steeds verder af in terreur en dictatuur. Ten slotte werden in 1983 de 'septemberwetten' opgelegd, oftewel hun sharia.

Het uiterlijk van de vrouwen op straat veranderde. Vrouwen die de traditionele *thob*, de kleurige lap stof van een meter of vijf lang die kunstig om het lichaam en het hoofd werd gewikkeld, hadden afgelegd en zich op westerse wijze kleedden, maakten hun rokken langer. Mini-jurkjes en mouwloze jurken zag je helemaal niet meer in de straten van Omdurman.

Ik was tien jaar toen ik al heimwee naar vroeger had. Met bezwaard hart dacht ik terug aan twee meisjes die ik, lang geleden, zeker wel twee jaar terug, had gezien. Ik was op weg naar het postkantoor om een van die lange brieven te versturen die ik wekelijks aan mijn ouders schreef, zeker zes kantjes, waarin ik hun uitvoerig vertelde wat iedereen in huis had gedaan en gezegd. Het waren knappe meisjes en ze maakten plezier. Er kwam een oude man naar ze toe. Hij was gekleed in het traditionele lange witte gewaad. Hij zei iets tegen ze, nam zijn *omma*, zijn tulband, af en rolde die uit tot een lange lap die hij in twee stukken sneed. Hij gaf de meisjes allebei een stuk om hun blote bovenbenen mee te bedekken. Dat deed hij niet vanwege de sharia, maar uit naam van de traditie. Hij deed ook het ook niet kwaadaardig, maar uit hartelijkheid. Die meisjes hadden de stukken tulband best kunnen weggooien, maar de oude man had hen respectvol bejegend en met evenveel respect voldeden ze aan zijn verzoek. Waarschijnlijk hebben ze die lappen een eindje verderop weer losgemaakt. Ik heb ze niet gevolgd, want ik had haast om mijn brief te posten. In elk geval liggen hun jurkjes nu zeker ergens onder in een diepe la...

Niet lang daarna zouden andere ontwikkelingen ons leven op zijn kop zetten. Toen Jaafar Numeiri de 'septemberwetten' afkondigde had hij tegelijkertijd de akkoorden, van Addis-Abeba, van 1972, opgezegd, die autonomie toekenden aan het Afrikaanse zuiden van het land waar overwegend animisten en christenen woonden. De noorderlingen daarentegen zijn vooral Arabisch en moslim. Het gevolg was een oproer in het leger en kolonel John Garang vluchtte naar Ethiopië, waar hij zijn Sudanese People's Liberation Movement (SPLA) oprichtte.

Na een onderbreking van tien jaar laaide de oorlog tussen het Noorden en het Zuiden weer op en daar besteedde het televisiejournaal evenveel aandacht aan als aan de sharia. Zo verontwaardigd als we waren over de invoering van wat men 'de islamitische wet' noemde, zo overtuigd steunden we de dappere soldaten die streden voor de eenheid van het land.

In die periode was het nog een oorlog tussen twee legers. De zuiderlingen betaalden natuurlijk een hoge prijs, maar de burgerbevolking was nog niet het mikpunt geworden. De doden onder de bewoners van onze wijk waren jonge mannen die soldaat of officier waren en er werd om hen getreurd, maar toch vonden de volwassenen dat hun dood niet voor niets was. Ze waren gesneuveld voor Sudan.

In 1984 werd een groot deel van mijn land, vooral Kordofan en Darfur, geteisterd door de droogte. De savanne voor ons huis veranderde in een woestijn. De vallei waar het vee kwam drinken droogde uit en vervolgens verschenen er barsten in de grond. De overheid had het te druk met oorlog voeren en het toepassen van de sharia om zich bezig te houden met de voedselschaarste die zich overal deed voelen. In het centrum van het land waar zich de landbouwgronden uitstrekten, begon het gras te verdorren. De waterputten vielen droog, de uitgehongerde mensen zagen hun kudden wegkwijnen en de buikjes van de kinderen begonnen op te zwellen.

We zagen ze ook door Omdurman trekken. Ze waren alleen nog maar skeletten die door de straten zwierven en op de deuren klopten. De kinderen hingen aan de benen van moeders die geen kracht meer hadden om ze op te tillen. Ze konden niet eens meer een hand omhoog brengen om de vliegen te verjagen die rondkropen op hun ogen en hun mond binnendrongen. Ze hadden zelfs niet meer de energie om hun hand uit te steken om te bedelen om een reddend stukje brood. Wij gaven ze niets, omdat we zelf niets hadden. En als we iemand al iets gegeven zouden hebben waren er meteen drie, tien, honderd anderen gekomen.

De verschrikkingen gingen al snel deel uitmaken van het

straatbeeld in onze wijk, onze stad en in het hele land. In heel Sudan hing een lijkenlucht. Ik raakte gewend aan die horden stakkers die me een paar maanden eerder nog de stuipen op het lijf joegen. Ik kwam ze tegen als ik naar school liep – ik zat intussen op de middelbare school. Op straat spelen deden we niet meer. De hongersnood werd steeds nijpender omdat er twee jaar lang geen regen kwam. En twee jaar lang verscheen de president regelmatig op de televisie om te getuigen van het grote geluk dat Sudan deelachtig was geworden.

Honger dreigde ten slotte voor alle Sudanezen. Wij hadden nog wel genoeg om elke dag te kunnen eten, maar het leven werd steeds moeilijker. De weelde van vroeger was nog maar een vage herinnering, de prijs van levensmiddelen steeg met de dag. 'Alles gaat goed in het land,' beweerde Numeiri. Volwassenen en kinderen kregen distributiebonnen voor suiker, olie en rijst. Elke week stonden we met de hele familie in de eindeloze rij voor het distributiecentrum te wachten tot we aan de beurt waren om onze rantsoenen in ontvangst te nemen. Mijn grootmoeder borg de suiker op in haar kast, ze liet hem niet meer staan zoals ze vroeger deed. Huwelijken en besnijdenissen werden niet meer overdadig gevierd, het was afgelopen met feesten. Water en elektriciteit waren niet meer vanzelfsprekend; je had populaire liedjes die niet meer gingen over liefde, maar... over elektriciteit. Ik volgde elke avond gretig het televisiejournaal met zijn eindeloze opsomming van geselingen, amputaties en executies en ik luisterde naar de nieuwsberichten van de BBC-radio in het Arabisch. Het nieuws was voor mij niet langer virtueel, het raakte me in het diepst van mijn wezen, het bepaalde mijn leven van alledag. Zoals iedereen huilde ik tranen met tuiten bij het zien van de immense menigte mensen die in Khartoum op straat waren gekomen om hun ontzetting te tonen over het proces en de executie van Mahmoud Mohammed Taha, een hervormingsgezinde intellectueel. Hij was diepgelovig, maar ook hartgrondig gekant tegen de islamitische wetten die zo zwaar op Sudan drukten. Hij werd ter dood veroordeeld wegens geloofsverzaking. De scherpe kritiek van Taha had ertoe bijgedragen dat onze bevolking was gaan inzien wat er aan het gebeuren was. Zijn dood stortte het land in een collectieve depressie. We voelden dat er een bladzijde uit onze geschiedenis definitief was omgeslagen. De voorspellingen van mijn nichtje Amal begonnen uit te komen.

De demonstraties hielden aan en liepen uit op een intifada, een studentenoproer. Op school maten we de omvang en ernst van een demonstratie af aan de hoeveelheid stenen die er op het golfplatendak van onze klas belandden. We ontwikkelden er een soort van zesde zintuig voor; we wisten precies wanneer de volkswoede en de repressie door de politie uit de hand begonnen te lopen. Dan gristen we onze boeken en onze schriften bij elkaar en holden we naar huis. Ik ging graag naar school. Ik was heel leergierig en ik baalde van de gedwongen vakantiedagen waar sommigen van mijn klasgenoten zo blij mee waren.

Niet lang na de moord – zo noemden we zijn executie – op Mahmoud Mohammed Taha maakte een door de bevolking gesteunde staatsgreep een einde aan de dictatuur van Numeiri, die op dat moment in het buitenland was. Onze hoop werd echter snel de kop ingedrukt. Wel brachten de eerste vrije verkiezingen, waaraan ik niet mocht meedoen omdat ik nog te jong was, Sadiq al-Mahdi aan de macht, een opposant van Numeiri. Hij beloofde de orde in het land te herstellen door de vorming van een regering van nationale eenheid, maar de zuidelijke rebellenleider John Garang wilde daar niet aan deelnemen. De hongersnood bleef verwoestingen aanrichten, de voedselprijzen bleven stijgen, maar de 'septemberwetten', zoals de sharia van Numeiri was genoemd, werden nietig verklaard. De droogte werd gevolgd door verwoestende overstromingen. Ik heb me van jongs af al betrokken gevoeld bij de politiek. Ik zat intussen op het lyceum en volgde gespannen alle politieke ontwikkelingen in mijn land. Ik kon mijn ongeduld nauwelijks bedwingen toen de regering de zuidelijken vrede aanbood; ik sprong een gat in de lucht toen ze een nieuw wetboek van strafrecht beloofden, een 'neutraal' wetboek, zoals dat van voor 1983. Politieke partijen waren welkom op de scholen. Uit pedagogische overwegingen hielden de traditionele partijen zich bescheiden op de achtergrond en gaven daarmee vrij spel aan de andere partijen. Dat waren enerzijds de seculiere linkse partijen, de communisten, de Ba'athpartij van Syrisch-Irakese herkomst, en anderzijds de islamisten, die overduidelijk over veel geld beschikten en die een succesvol charmeoffensief begonnen waren om de jeugd voor zich te winnen. Met hun misleidende slogans kregen ze trouwens al snel de overhand op de linkse partijen. Ik had me in hun folders verdiept en had er een nare smaak van in de mond gekregen. Hun verhaal ging maar over twee dingen: de jihad, oftewel de heilige oorlog en de belofte van het paradijs. En de rechtvaardigheid, het recht en de democratie? Vergaten ze soms dat politiek gaat over het leven van de burgers op aarde, en niet in het hiernamaals?

'In de huidige omstandigheden kunnen alleen wij Sudan

redden. Als wij aan de macht zijn zul je zien dat het leven eindelijk beter zal worden. Geen enkele Sudanees zal dan meer honger lijden, recht en orde zullen worden hersteld,' hield een van de leiders van de scholierenafdeling van het door Hassan al-Turabi opgerichte Nationaal Islamitisch Front ons voor.

'Jullie waren met de Moslimbroederschap samen met Numeiri zeven jaar lang aan de macht. Wat hebben jullie bereikt, behalve de puinhopen van nu?' antwoordde ik.

Ik kreeg alleen maar onsamenhangende, vage antwoorden en lange monologen over de islamitische beloften over het hiernamaals. Zulke discussies voerde ik steeds meer toen ik als onafhankelijke kandidaat meedeed aan de studentenverkiezingen. Ik voelde me verwant aan een van de traditionele partijen, de Democratische Unie Partij, die had deelgenomen aan de onafhankelijkheidsstrijd van 1956 en die nog voor de onafhankelijkheid de meerderheid had in het eerste parlement van Sudan. Deze partij oriënteerde zich op de soefibeweging, maar ik vond dat ze een duidelijke ideologie miste. Ik had me ook verdiept in het communisme, maar dat had me even weinig bekoord als het islamisme: ik was te zeer gesteld op mijn vrijheid om me te laten opsluiten in een ideologisch keurslijf. Ik won als onafhankelijke kandidaat de verkiezingen van mijn afdeling.

In 1988 bezocht Ahmad Ali al-Mirghani, de leider van de Democratische Unie Partij die deelnam aan de regering, de zuidelijke leider John Garang om te onderhandelen over vrede tussen Noord- en Zuid-Sudan. Hij kwam op 16 november terug in Khartoum met een vredesakkoord en dus met een boodschap van hoop. Een enorme menigte, waaronder ikzelf, kwam Mirghani verwelkomen en steunen. Vlak ervoor had ik aan de televisie gekluisterd gezeten omdat langs de grens de gevechten tussen de twee groeperingen van het land weer waren opgelaaid. Twee noordelijke dorpen waren in handen gevallen van de zuidelijken en de islamitische media gingen uit hun dak. De bevolking begon bang te worden. Er werd verteld dat de zuidelijken klaarstonden om de hoofdstad in te nemen en de moslims de keel door te snijden. De islamisten drongen erop aan dat onmiddellijk de noodtoestand en de staat van oorlog zouden worden uitgeroepen. En niet om het even welke oorlog, maar de oorlog die de moslims zou beschermen: de jihad, de heilige oorlog. Niettemin bekrachtigde de regering-Al-Mahdi het akkoord dat Al-Mirghani had meegebracht. Maar ze kreeg niet meer de tijd om het in praktijk te brengen. De islamistische overtuiging dat het akkoord in strijd was met de sharia won het pleit. In de nacht van 30 juni 1989 werd de regering van Sadiq al-Mahdi omvergeworpen. Generaal Omar Hassan al-Bashir, die de macht had gegrepen, presenteerde zich de volgende ochtend als een militair die de orde kwam herstellen en een einde zou maken aan de schaarste. Het gerucht deed toen al de ronde: deze staatsgreep is niet militair, maar islamistisch. Al-Bashir was slechts de geüniformeerde stroman van de beruchte Hassan al-Turabi, de voormalige Moslimbroeder die onder Numeiri het comité voor de invoering van de sharia had voorgezeten en die zich had bekeerd tot een nog veel radicaler en moorddadiger ideologie.

'In wat voor jungle leven we?' vroeg ik mijn vriendinnen in het minibusje dat ons naar school bracht.

Het openbare lyceum waar ik was ingeschreven lag verder van huis dan mijn andere scholen. In de maanden waarin we het ons konden permitteren nam ik een busabonnement.

Andere maanden ging ik lopen, ik deed er een dik half uur over. Die ochtend, in de bus, discussieerden we opgewonden. Ik liet me niet van mijn standpunten afbrengen.

'Welke godsdienst wettigt het dat iemand te midden van zijn geld wordt vermoord? Alleen bij bandieten en struikrovers mag dat!'

Het was niettemin onze eigen justitie, hun sharia, geweest die Majdi Mahjoub ter dood had veroordeeld en had geëist dat hij geëxecuteerd zou worden te midden van de paar duizend dollar die hij in zijn huis had verborgen toen de Sudanezen hun buitenlandse deviezen moesten inleveren bij de staat. Hij was de zoon van een bankier die tevens de eerste auto-importeur was geweest en wiens bezittingen net waren genationaliseerd. Zijn moeder was nog bij de president om genade gaan smeken. Hij had die haar beloofd en volgens de Sudanese traditie had hij zich daaraan moeten houden. Maar de volgende dag werd de familie ontboden om het lichaam van de jongeman te komen halen. Hij was geëxecuteerd te midden van zijn dollars. 'Wie zijn deze mensen en waar komen ze vandaan?' weeklaagde de grote Sudanese schrijver Al-Tayeb Saleh bij die gelegenheid. Het was de eerste van een lange reeks executies in 1990 en 1991 wegens het achterhouden van deviezen. In 1992 kwam de overheid terug op haar besluit en mochten de Sudanezen opnieuw buitenlands geld bezitten. De tranen van de families van de veroordeelden waren nog niet opgedroogd toen de belangrijkste wisselagent van Sudan een medaille van verdienste kreeg uitgereikt door dezelfde mensen die hun zonen hadden terechtgesteld. Voor een handvol dollars. Een van de leden van de Revolutionaire Commando Raad had in deze jaren van terreur de bijnaam 'Mister Dollar', omdat hij zo belust was op dollars. Ja, in wat voor jungle leefden wij?

Een ander voorval dat zich afspeelde tijdens de eerste ramadan nadat Al-Bashir aan de macht was gekomen, had de vurigste aanhangers van het regime toch aan het twijfelen moeten brengen: achtentwintig legerofficieren werden terechtgesteld in de Nacht van de Lotsbezegeling, de zevenentwintigste van de heilige maand, waarop de poorten van de Hemel zich zouden openen en de gelovigen hun smeekbeden kunnen doen. Hun lichamen werden nooit teruggeven aan hun families. Er ontstond een psychologische kloof tussen de bevolking en de islamisten die inmiddels de krijgswet hadden ingesteld. Er werd spottend gelachen toen Omar al-Bashir beloofde om het Sudanese pond op te waarderen: hij beweerde dat zonder hem de wisselkoers van de dollar binnenkort twintig pond zou zijn. Niet lang daarna werd de dollar 2750 Sudanese pond waard. In die periode werden op de scholen en universiteiten alle politieke activiteiten verboden en de partijafdelingen ontbonden; alleen de Organisatie van de Heilige Koran mochten blijven bestaan. Dat het dekmantels waren voor de islamistische partij van Hassan al-Turabi, het brein achter de macht, probeerden ze niet eens te verbergen. De kranten werden genationaliseerd en alle leiders van politieke partijen opgesloten, Hassan al-Turabi incluis. Tien jaar later zou hij toegeven dat hij op de ochtend na hun staatsgreep tegen zijn kompaan Al-Bashir had gezegd: 'Als jij de leiding neemt, ga ik naar de gevangenis.'

Zodra Al-Bashir aan de macht kwam, werd de islamistische droom waargemaakt: de oorlog tegen het Zuiden werd officieel tot jihad verklaard en zijn doden werden martelaren van de islam. De televisie zond eindeloos reportages uit over jongens van zestien, zeventien jaar die vrijwillig in die oorlog gingen vechten en die volledig gehersenspoeld werden. Ik zag hoe onze buren hun zonen naar de jihad stuurden en hun dochters naar de vrijwillige burgerbescherming, waar ze wapens leerden hanteren – gekleed in hidjab vanzelfsprekend. Ik moet erbij vertellen dat deelname aan die kampen een garantie was voor een goede baan bij de overheid. Ik heb de joejoes gehoord waarmee de optocht van een 'huwelijk van een martelaar' werd begeleid. Ik heb met eigen ogen gezien hoe zulke optochten stilhielden voor armzalige huizen, waar zakken suiker, linzen en rijst en olie werden afgezet; de gezinnen die er woonden werden bedolven onder de gunsten en hun huizen werden bestormd door gelukzalige soldaten die jubelden: 'Verblijd u! Uw zoon is een bruidegom, uw zoon is een martelaar, uw zoon is gestorven voor Allah!' Ik heb moeders die joejoes horen beantwoorden met joejoes. Ik heb andere moeders, heel veel andere moeders, gezien die instortten, die de soldaten wegjoegen en ze de zakken met levensmiddelen die ze meebrachten naar het hoofd smeten. Maar niemand kon eronderuit om de uitnodiging aan te nemen voor de pompeuze ceremonies die de universiteiten organiseerden voor de uitreiking van postume diploma's aan de martelaren. Alsof ze in het paradijs iets hadden aan een diploma. Ik heb gezien hoe jongens van de straat werden geplukt en werden gedwongen om als 'vrijwilliger' dienst te nemen: na een training van vijfenveertig dagen werden ze naar het front gestuurd. Heel veel van die jongens zijn nooit meer teruggekomen; de besten, de jongens die vochten uit echte ideologische overtuiging meegerekend. Zij hadden tenminste een ideaal. Alleen degenen die hen de oorlog instuurden, bleven over. En bleven aan de macht.

In het huis aan de Nijl in Wad Madani was mijn grootvader zoetjesaan een heel oude man geworden die zelden meer zijn bed uit kwam. Zijn ogen waren verslechterd, maar hij was altijd blij als hij me zag. Hij had altijd een stapel kranten voor me klaarliggen. Ik ging bij hem zitten, las hem voor en luisterde naar zijn commentaren. Hij schold tegen de islamisten en, in de beslotenheid van zijn slaapkamer, ook tegen de Arabische leiders. Hij zei dingen tegen me die ik nooit eerder had gehoord: 'Onthoud goed wat ik je zeg, Lubna. Koning Abdallah 1 van Jordanië was een profeet toen hij in 1947 tegen de andere Arabische leiders zei dat ze de scheiding van Palestina moesten aanvaarden. Ik weet zeker dat hij een goddelijke ingeving had gekregen. Hij werd uitgemaakt voor verrader en vermoord. Maar de geschiedenis heeft hem gelijk gegeven; zelfs in hun wildste dromen krijgen de Arabieren nooit meer zo'n plan aanboden. Je moet durven, je moet voor je overtuigingen uitkomen in plaats van mee te huilen met de wolven.'

In Omdurman bleef habouba haar eigen, gezonde zelf. Ze is altijd slank geweest in een samenleving waar mollig het schoonheidsideaal was en tot aan haar dood in 1997 hield ze al haar tanden en een scherpe blik. Als ze mij zag stuntelen om een draad door het oog van een naald te krijgen zei ze ongeduldig 'geef maar hier', op een toon die geen tegenspraak duldde. En ze haalde hem erdoor zonder dat ze een bril hoefde op te zetten. Maar het lachen was haar vergaan. De verminking van de islam door de islamisten bedrukte haar, dochter van de sjeik en afstammeling van een voornaam geslacht van wijze godsdienstleraren, zij die van kind af de Koran uit haar hoofd kende. Ze luisterde hoofdschuddend naar de nieuwsberichten en meestal luisterde ze er helemaal niet naar.

In de vroege jaren negentig had het einde van de jihad in Afghanistan een stroom van Arabische strijders naar Sudan als gevolg. Ongetwijfeld wilden ze hun heilige oorlog voortzetten in mijn land. Onze regering haalde ze met open armen in. Onze regering, die Osama bin Laden ontving als een held, wilde de beste leerling van de klas zijn: op de televisie, op de radio, in kranten en op 'vaderlandslievende bijeenkomsten' werd op den duur alleen nog maar propagandataal uitgeslagen omtrent de opzet van een moderne islamitische staat die zich zou uitstrekken van de oceanen tot aan de Middellandse Zee. Je had geen andere keuze meer dan ernaar te luisteren; het enige alternatief waren de jihadistische gezangen die aan de jeugd werden geleerd en die zonder onderbreking in het hele land werden uitgezonden. De propaganda werd steeds megalomaner: algauw spreidde die islamitische staat zich uit over de hele aardbol en Amerika zou net als de Sovjet-Unie ineenstorten. Er werden zelfs trainingskampen opgezet, althans dat werd beweerd. Ik heb er zelf nooit een gezien. Enkele jaren later, toen de Afghanistanveteranen hun onderlinge rekeningen begonnen te vereffenen, kreeg Al-Bashir bittere spijt van zijn gastvrijheid. Dat hoop ik tenminste vurig. Het eerste bloedige incident gebeurde in onze moskee in Omdurman. Een paar sollicitanten voor het martelaarschap die net zo deviant waren als Bin Laden, maar zelfs hem nog slapheid verweten, dachten dat ze hem hadden gezien, hoewel hij zich nooit buiten de dure wijk van Khartoum begaf, waar hij zichzelf een schitterend huis cadeau had gedaan. Ze wilden Bin Laden om zeep helpen en begonnen tijdens het gebedsuur in de moskee in het rond te schieten. Het werd een slachtpartij. Niet lang daarna vertrok Bin Laden naar Afghanistan, maar niet voordat hij zich eerst nog had uitgesproken over het ideologische meningsverschil tussen hem en zijn gastheren die hij laksheid verweet op het vlak van de sharia. Onze bevolking, die gastvrijheid in de genen heeft en alle culturen en alle tradities met grote vanzelfsprekendheid opneemt, begreep niets meer van die vreemdelingen wie ze onderdak had geboden en die dat nu zo laf en moorddadig beantwoordden. Alle soorten integristen konden trouwens rekenen op de grootmoedigheid van onze regering. Ook de christelijke integristen van het Ugandese Leger van de Heer, een rebellenleger waarvan de leiders hun tenten hadden opgeslagen in Khartoum. Omar al-Bashir gaf daarmee de Ugandese autoriteiten, die het Zuid-Sudanese verzet van John Garang steunden, een koekje van eigen deeg. Een paar jaar later gaf diezelfde Omar al-Bashir het Ugandese leger toestemming om het Leger van de Heer op te jagen tot in het hartje van onze hoofdstad en leverde hij zijn voormalige bondgenoten uit, net als hij trouwens in 1994 zijn beschermeling de terrorist Carlos uitleverde aan Frankrijk.

In 1991 scherpte Omar al-Bashir, met hulp van Hassan al-Turabi, de sharia aan door nieuwe wetten in elkaar te flansen, al bestaande straffen te verzwaren, er nog andere aan toe te voegen en (om Allah te behagen of om het volk te onderdrukken?) een politiedienst op te richten voor de bewaking van de publieke orde. Met andere woorden: een zedenpolitie. Waren ze, zoals Amal zei, incompetent of waren de juristen die al deze wetten schreven, waaronder ook artikel 152 van het Wetboek van Strafrecht betreffende de publieke zedelijkheid, eerder boosaardig? Door geen enkele overtreding, geen enkele verboden gedraging duidelijk te omschrijven en zich te beperken tot het brandmerken van 'eenieder die de openbare zedelijkheid schendt', gaven ze ruim baan aan het schrikbewind in mijn land. We weten niet meer hoe we ons moeten kleden en hoe we ons moeten gedragen. De voorvaderlijke Sudanese tradities werden ineens 'zondig' verklaard. We waren in een nachtmerrie beland.

4
Wad Madani of
het streven naar vrijheid

Ik heb het lyceum afgemaakt in 1991, op het moment dat de regering een 'revolutie van het hogere onderwijs' in de bol kreeg, waarvan de krijtlijnen nog onduidelijk waren. Na enig aarzelen, en ondanks de adviezen van mijn leraren letterkunde, vooral die ene aan wie ik een paar van mijn gedichten had laten lezen en wie bleef volhouden dat ik moest gaan schrijven, koos ik de bètakant. Mijn scheikundecijfers waren veelbelovend, ik haalde goede wiskunderesultaten en hoewel ik graag schreef, geloofde ik niet dat je van de pen zou kunnen leven.

Toen het moment aanbrak dat ik me zou moeten inschrijven bij een universiteit, bekroop me plotseling het verlangen om te ontsnappen. Ik vroeg informatie op van buitenlandse universiteiten, ik koos twee landen waar de studie betaalbaar voor me was, India en het voormalige Joegoslavië, maar daar woedde toen net een oorlog. Opgewonden begon ik de nodige stappen te ondernemen: ik maakte een selectie van universiteiten waar de lessen me aanstonden en ik bereidde zorgvuldig mijn aanvragen voor. Ik keek ernaar uit om weg te komen, om een normaal leven te kunnen leiden, ver van die kleingeestigheid die ons dagelijks leven verzuurde.

Het moment van mijn vertrek naderde toen Al-Bashir de 'revolutie' van het hoger onderwijs afkondigde. In enkele minuten tijd stortte mijn droom in: de paar minuten die ik nodig had om te begrijpen welke hindernissen er werden opgeworpen voor studenten die snakten om weg te komen, voor alle Sudanezen die hunkerden naar een normaal leven. Tot dan toe konden we dankzij een voordelige wisselkoers de verblijfskosten betalen, temeer daar we net als alle andere Sudanese studenten een beurs kregen en een bijdrage in de huur van woonruimte. De 'revolutie' had negatieve gevolgen voor de wisselkoersen. Er werd een verplichte koers vastgesteld waardoor reizen onmogelijk werd, in elk geval veel te duur voor de middenklasse. Het oude beurzensysteem werd afgeschaft en er kwam een studentenfonds voor in de plaats, waarvan het geld werd uitgedeeld op grond van onduidelijke criteria. Het beloonde eerder de 'loyaliteit' van een gezin dan dat het rekening hield met de financiële situatie van de begunstigden. De universitaire studies die Engels als voertaal hadden en waarbij aandacht werd gegeven aan ontwikkelingen elders in de wereld werden gearabiseerd – ik ben helaas een product van die hervorming. Hoe dan ook, voordat de 'revolutie' helemaal was doorgevoerd, werden middenscholen in één gebouw gezet met andere scholen en de leerlingen zaten zo goed en zo kwaad als het ging samengepakt in klaslokalen die niet werden vergroot. De lyceums moesten verhuizen naar de gebouwen van de andere middenscholen en in hun oude gebouwen werden universiteiten opgericht. Nep-universiteiten noem ik ze liever. Het gebeurde allemaal in een handomdraai: er werd niet de moeite genomen om te zorgen voor een academische infrastructuur; de overheid hing gewoon een bord UNIVERSITEIT boven de ingang van een voormalig lyceum. De professoren werden met vergelijkbare oppervlakkigheid geworven.

Mijn mislukte inschrijving aan een buitenlandse universiteit kostte me een heel studiejaar; het was intussen te laat om nog naar een Sudanese universiteit te gaan, tenminste in de studierichting die ik had gekozen. In Sudan wordt je studierichting bepaald door je cijfers in het laatste jaar van de middenschool. Met mijn cijfers kon ik niet naar de faculteit Geneeskunde, de droom van veel van mijn vriendinnen – dat vak interesseerde me trouwens ook niet. Beïnvloed als ik nog steeds was door de lessen in tuinieren en de grondbeginselen van de ecologie op de basisschool van Omdurman, schreef ik me in op de faculteit Agronomie van de Al-Jazira-universiteit van Wad Madani – het Wad Madani van mijn kinderjaren, waar ik graag naar terugging in de hoop om nog een vleugje terug te vinden van de bekoringen van het verleden.

Mijn grootvader was intussen overleden. Mijn tante Fatma woonde nu in het huis aan de Nijl, met haar kinderen, een dochter en drie zoons, van wie er enkele al getrouwd waren en zelf kinderen hadden. Haar man, een Jemeniet, had een levensmiddelenwinkeltje waarmee hij het hele huishouden onderhield. Ik vond bij hen de warmte en de bedrijvigheid van mijn kinderjaren terug, de gezamenlijke maaltijd en het gezellige buurtleven. De bakkerij van mijn grootvader bestond niet meer; toen hij ouder werd liep die al niet meer goed. In de stad waren andere, veel modernere, bakkerijen gekomen en niet lang na zijn dood werd die van mijn grootvader, ook nog wegens de torenhoge belastingen, gesloten. Ik miste de geur van warm brood.

In het huis was nog alles hetzelfde, behalve dat het hek naar de Blauwe Nijl toe was dichtgetimmerd, waardoor je niet meer bij de oever kon komen. Mijn tante en haar man zagen geen enkel praktisch nut in die unieke doorgang en begrepen niet waarom me dat zo speet. Het is waar dat de bijna lichamelijke band die de Egyptenaren hebben met de Nijl niet wordt gevoeld in Sudan, waar de huizen (en ook de regeringsgebouwen) de rivier de rug toekeren. De rivier wordt vaak vooral als vuilstortplaats gebruikt: men gooit er het afval in en wast er zijn auto, maar wandelt nooit langs de oevers, waar trouwens de wandelpaden, als ze er al zijn, op grote afstand van het water liggen. Voor de duur van mijn studietijd ging ik weer wonen in dit huis, waar mijn tante een bovenkamertje voor me had gereserveerd, ver van de drukte. Ik kon er studeren, mijn vriendinnen ontvangen, mijn gedichten schrijven. Door het raam zag ik het trage stromen van de Blauwe Nijl en het altijd groene eiland Hantoub, midden in de rivier. Ik kon op het eiland zelfs het oude lyceum zien liggen waar generaties uit heel Sudan afkomstige politici, artsen en ingenieurs hun opleiding hadden genoten. Een toonaangevend lyceum dat nu was omgetoverd in een derderangs universiteit...

De op Amerikaanse leest geschoeide campus van de Al-Jazira-universiteit ligt aan de buitenkant van de stad. Het is een stad in een stad. Behalve de gebouwen van de verschillende faculteiten en de administratieve diensten staan er studentenhuizen voor meisjes en voor jongens, onderkomens voor de leerkrachten en zelfs een grote proefboerderij. Door het afschaffen van studiebeurzen en overheidsubsidies hadden studenten uit andere provincies die naar deze universiteit kwamen omdat zij een zekere faam genoot, geen geld meer om een kamer te huren in Wad Madani. Ze overstroomden dus de studentenkamers op de campus... waar iedereen werd aangenomen. Vandaar dat er zes mensen woonden in kamers die maar berekend waren op twee personen, en zelfs daarmee kon niet aan de vraag worden voldaan. Scholen werden dus omgebouwd tot studentenhuizen en de klaslokalen die veertig leerlingen konden herbergen werden tot slaapzalen met veertig bedden gebombardeerd. De leslokalen waren zo stampvol dat je er haast niet meer in kon en toen de colleges begonnen en de studenten, islamisten en niet-islamisten door elkaar, de omvang van de rampzalige situatie ontdekten, maakten ze hun ongenoegen kenbaar aan de overheden. Ze wierpen blokkades op voor de collegezalen, die een enkele student toch nog wist te omzeilen. Hij drong door tot de zaal, waar de aanwezige professor voor hem alleen college gaf. Toen die stakingsbreker naar buiten kwam werd hij door de stakers gestraft. Het was een heel lichte straf, die eruit bestond dat ze hem een hidjab aantrokken en hem daarmee door de stad lieten lopen. De hidjab die wij bij wet verplicht zijn te dragen, wordt dus gezien als een straf?

De gemoederen waren al verhit door de 'bestuurlijke hervormingen' die het regime het jaar daarvoor had doorgevoerd, tegelijkertijd met de 'onderwijsrevolutie'. De 'hervorming' bestond uit een zuivering van het overheidsapparaat, waarbij 350.000 ambtenaren waren ontslagen en vervangen door getrouwe islamisten. Dertien briljante en bewonderde universiteitsprofessoren werden 'weggezuiverd'. De studenten verklaarden zich solidair met hen en begonnen een staking. De overheid trad streng op: de noodtoestand werd uitgeroepen, er werden speciale rechtbanken ingesteld, de stakers, jongens en meisjes, werden allemaal veroordeeld tot twintig zweepslagen en kregen het bevel om terug te gaan naar de leslokalen waar de baardmannen de plaats van hun professoren hadden ingenomen. Weigeraars werden voor de rest van het studiejaar uitgesloten. Vandaar dat die studenten naast ons in de banken zaten, vastbesloten om de strijd voort te zetten. De dertien professoren hadden hun baan natuurlijk niet meer teruggekregen. Later hoorden we dat ze waren uitgeweken en allemaal een job hadden gevonden op de beste buitenlandse universiteiten. Mijn land is ze voorgoed kwijt.

Vanaf de eerste dagen van het nieuwe studiejaar verschenen er overal stakingsposten. We eisten fatsoenlijke studieomstandigheden. We demonstreerden en ik schreef pamfletten die ik op de muren van de universiteit plakte. Onze woede nam af toen een aantal rijke handelaren uit Wad Madani aanbood om in allerijl op hun kosten een gebouw te laten neerzetten dat kon dienen als bijgebouw van de studentenhuizen. Het gebouw kwam net voor de driemaandelijkse vakantie klaar en werd tijdens het reces onmiddellijk in beslag genomen door de administratie, die haar burelen uitbreidde. Het trimester daarna was dan ook een en al gemor en gedemonstreer. Eén demonstratie liep uit de hand, de auto van de decaan werd omver geduwd en in brand gestoken. De nationale veiligheidsdienst ging over tot arrestaties; honderden studenten en dertien studentes, onder wie ik, werden afgevoerd.

We werden allemaal ondervraagd en tijdens de verhoren werden we geslagen; zo gaat het nu eenmaal in de commissariaten, dus niemand protesteerde. De jongens moesten naar de gevangenis en werden tijdens hun opsluiting geslagen. Ik kon ze 's nachts tot in mijn cel horen schreeuwen. De meisjes moesten een of twee dagen in de gevangenis blijven en werden daarna een voor een vrijgelaten. Een week later zat ik nog steeds achter de tralies, en mocht ik nog steeds geen bezoek hebben.

'Waarom huil je nooit?' siste een bewaker mij toe.

'Waarom zou ik huilen? Helpt dat mijn zaak ook maar een steek vooruit? Ik wil gewoon weten waarom ik hier nog zit terwijl alle andere meisjes al vrij zijn.'

'Die hebben gehuild en gesnotterd en zijn vrijgelaten,' antwoordde hij, zonder daarmee het raadsel op te helderen.

Zij hadden gehuild, zij waren door de knieën gegaan, maar ik zou niet buigen, ik zou niet smeken. Ik gunde hun niet het plezier mij in tranen te zien. Niet lang daarna werd de gevangenis bezocht door een notabele uit Madani, Fath al-Rahman al-Bashir (die in 1977 de onderhandelingen had geleid tussen Jaafar Numeiri en de oppositie). Hij had over mij horen spreken en mijn geval had hem verbaasd. Hij zorgde ervoor dat ik werd vrijgelaten, maar ik werd voor de rest van het jaar geschorst. Ik had dus niet veel meer te zoeken in Wad Madani. Ik ging terug naar mijn moeder in Omdurman, maar ik was zo bang voor alweer een jaar nietsdoen dat ik besloot om me in te schrijven voor een minder populaire studierichting aan de universiteit van Khartoum, waar hoewel het studiejaar al was begonnen nog een paar plaatsen vrij waren. En zodoende begon ik, zonder het echt te hebben gewild, aan een studie communicatie. Het was maar een korte studie, die ik beschouwde als een lapmiddel, maar die ik toch met veel plezier deed. Ik probeerde binnen te komen in de journalistiek en ik stuurde mijn eerste artikelen naar buiten Sudan gemaakte verzetskranten. Mijn verhalen over de dagelijkse werkelijkheid van Sudan werden er onder pseudoniem in gepubliceerd. Maar ik was niet echt van plan om van de journalistiek mijn beroep te maken en ik hoopte dat ik weer zou worden toegelaten aan de universiteit van Wad Madani om mijn geliefde agronomiestudie te kunnen voortzetten. En dat gebeurde.

Ik miste het huis aan de Nijl, evenals de studentikoze sfeer en de smaak van vrijheid. Ik verlangde naar mijn vriendinnen, met wie ik zonder dat we ons om de tijd hoefden te bekommeren over de campus kon slenteren. Ik verlangde zelfs naar de koortsachtige voorbereidingen voor de examens. Dan verliet ik het huis van mijn tante om een paar dagen op de campus te gaan logeren, waar we samengepakt op een kamertje zaten en waar we 's ochtends vroeg, om van de koelte te profiteren, die kamertjes per studierichting verdeelden. We hadden een perfecte studiemethode uitgedokterd: ieder van ons koos één hoofdstuk, dat we grondig bestudeerden, waarover we ons in de bibliotheek nog verder documenteerden en dat we dan aan de anderen uitlegden. Sommigen van ons waren geweldige onderwijzeressen! En na het werk gingen we naar beneden om thee te drinken bij een verkoopster die haar kraampje had opgezet op de campus. Zolang we helemaal in beslag genomen waren door de examens, konden we het drama van het dagelijkse leven in Sudan even vergeten. Ze deden me zo goed, die korte periodes van zorgeloosheid...

De hervatting was echter niet bepaald leuk. Met de andere studenten die waren gearresteerd en vervolgens voor de rest van het jaar geschorst, moest ik bij de veiligheidsdienst komen, waar we streng werden toegesproken en waar ik een verklaring moest ondertekenen dat ik niet meer zou deelnemen aan politieke activiteiten, dus niet aan demonstraties en andere protestbijeenkomsten en dat ik zelfs geen pamfletten, noch artikelen zou schrijven. Ik heb het gezworen, ik heb getekend en nam me heilig voor me aan die belofte te houden. Ik wilde dat diploma halen, dat de voorwaarde was voor mijn toekomstige onafhankelijkheid. Ik had al twee studiejaren verloren, ik wilde voor geen prijs een herhaling daarvan!

Op de universiteit heb ik het gemengde onderwijs ontdekt, dat op Sudanese scholen niet bestaat. En het was allemaal zo onschuldig! Waar komt een romance tussen Sudanese studenten op neer? Samen theedrinken in de cafetaria van de universiteit, samen naar de collegezaal lopen, niet samen alleen, maar met de andere studenten, zonder ook maar iets te laten blijken van de platonische verhouding die aan het opbloeien is. In het droogteseizoen zit elk van de stelletjes aan een kant van de brede geul die als het regent het water afvoert. Ze zitten altijd tegenover elkaar, nooit naast elkaar. Ze zitten nooit tegen elkaar aangedrukt, ze raken elkaars hand niet aan, ze raken elkaar zelfs helemaal nooit aan. Ze praten, ze glimlachen teder naar elkaar, ze zijn voortdurend op hun hoede om niet op het matje geroepen te worden door een van de studenten die zichzelf hebben bevorderd tot bewaker van de goede zeden, of om te worden aangegeven. We waren die geul 'de vrijerskuil' gaan noemen. Hij werd in elk geval nooit bezocht door islamistische stelletjes, wier gedoe ons fascineerde. Je kon gewoon niet anders als je die jongens met hun baard en de meisjes, helemaal ingepakt in hun nikab, van top tot teen gesluierd, vier meter van elkaar verwijderd zag staan praten... en ook nog met de rug naar elkaar toe. Het was eigenlijk een heel treurig gezicht, maar wij lachten erom. Het was trouwens al helemaal tegen de beginselen van de Ansar al-Sunna, de verdedigers van de orthodoxie, dat die jonge baard zijn aanbedene het hof stond te maken; zelfs al deed hij het op vier meter afstand en zonder haar aan te kijken. Vooral aangezien in de loop der jaren die afstand tussen de tortelduifjes toch een beetje kleiner is geworden...

Er vormden zich ook groepjes rond de theeverkoopsters die juten lappen op de grond hadden uitgespreid en wankele krukjes hadden neergezet. Die verkoopsters waren op de campus even talrijk als in de stad, en net als daar waren ze instituten. Iedere groep had zijn eigen theeverkoopster, die bij haar voornaam werd genoemd en bij wie men elkaar ontmoette. We bespraken de wereldproblemen, half liggend op die tapijten van jute en nippend aan *carcadet*, een kruidenthee op basis van hibiscus, kardemom of munt, of heel sterke, zoete koffie. De verkoopsters, volksvrouwen die meestal niet konden lezen of schrijven, gaven ons krediet tot het eind van de maand en zelfs langer als we geen geld hadden. Ze noteerden onze consumpties niet op een stukje papier of in een notitieboekje; ze vertrouwden er gewoon op dat we het zelf bijhielden en de meesten van ons waren klaarblijkelijk eerlijk, want ze klaagden nooit dat ze nog geld van iemand te goed hadden en ze weigerden nooit iemand te serveren die geen twee muntjes had.

Van tijd tot tijd organiseerden we feestavonden. Van dansen kon natuurlijk geen sprake zijn, want de Sudanese wet verbiedt dansen, en vooral gemengd dansen; dat wil zeggen, mannen die dansen met vrouwen. Want hoewel de wet aanvankelijk alle dansen verbood, stond hij uiteindelijk het dansen voor mannen toch weer toe. Net als veel Afrikaanse staatshoofden houdt Omar al-Bashir zelf erg van dansen, zoals de hele wereld heeft kunnen zien op de dag nadat het

Internationale Strafhof in 2009 het arrestatiebevel tegen hem had uitgevaardigd. Wij organiseerden dus bloedserieuze culturele avonden, met literatuur of theater op het programma. Daarvoor werd een tent opgezet, waarin we zelfs enkele keren een expositie van schilderijen en kalligrafie organiseerden. Dat waren dan natuurlijk gemengde avondjes, voor studenten en studentes. De stelletjes hielden niet elkaars handen vast en niemand zou het in zijn of haar hoofd gehaald hebben om te zoenen. Maar toch gingen we voor de salafisten al veel te ver. Een samenkomst waarop jongens en meisjes zich amuseerden? Ze gebruikten om te beginnen overredingskracht en vervolgens dreigementen om de studenten ervan te weerhouden zulke avondjes bij te wonen. Maar omdat die onze enige oppeppers waren, trokken we ons niets aan van hun adviezen en dreigende taal. Daarom gingen ze over op een andere tactiek: voordat de avond begon draaiden ze tuinslangen open in de tent, zetten alles onder water en maakten de ruimte onbegaanbaar.

We bedachten een nieuwe list en organiseerden avondjes in de openlucht, op een locatie die bijna tot op de laatste minuut geheim bleef. Mobiele telefoons waren er nog niet, dus het nieuws werd bliksemsnel mondeling verspreid. Een avond samenkomen om heel serieus de verdiensten van een klassieke schrijver te bespreken of het oeuvre van deze of gene eigentijdse auteur was voor ons een daad van verzet en niet zomaar een simpel tijdverdrijf. We hadden met dat kat-en-muisspelletje kunnen doorgaan tot het einde van mijn studietijd als het bestuur niet de islamisten was gaan aflossen, waarschijnlijk onder druk van deze laatsten. De uitgaanspermissie van de studenten die op de campus woonden, en dat deed de overgrote meerderheid, werd teruggeschroefd van middernacht tot elf uur en al heel snel tot negen uur. Het was gedaan met onze avondjes. Als ontspanning na de studie bleef ons niet veel anders over dan de politieke gesprekskringen overdag, onder een boom en rond een redenaar, twee tot drie keer per week, die ik trouw bezocht.

Mijn eerste volle studiejaar in Wad Madani reisde ik voortdurend heen en weer naar Khartoum. Ik had besloten om twee studies tegelijk te doen: agronomie, die me zo na aan het hart lag, en communicatie, die me het jaar tevoren zo was bevallen. Ik gaf voorrang aan de agronomielessen, maar ik bezocht ook zo veel mogelijk die van communicatie. Ik studeerde erop in de stilte van mijn kamertje, nam deel aan de examens van de universiteit van Khartoum en telkens slaagde ik. Tot aan de eindexamens, die voor beide instellingen op dezelfde datum vielen. Zonder aarzelen, maar wel met spijt in het hart, koos ik voor het diploma agronomie. Ik slaagde voor mijn eerste jaar en ging mijn vakantie doorbrengen in Omdurman. Stom toevallig kwam me daar ter ore dat er op de universiteit van Khartoum herkansingexamens werden gehouden voor moedjahedien, mensen die hadden meegevochten in de jihad. Ik schreef me in als *moedjahida*, die haar steentje had bijgedragen aan de jihad. Er werd geen materieel bewijs voor gevraagd; ik hoefde alleen maar de bijbehorende belasting te betalen. Ik deed dus examen samen met jihadstrijders, ik slaagde en behaalde mijn eerste diploma; in communicatie.

Ik begon aan mijn derde jaar agronomie toen de verwrongen geesten van de Sudanese politieke en academische overheden weer een nieuw idee baarden om de islam nog beter te kunnen verdedigen. Nou ja, hún islam. Er werd een universiteitspolitie opgericht, die de goede zeden van de studenten moest bewaken en ze moest beschermen tegen hun eigen demonen. Die politie bestaat nog altijd in alle universitaire instellingen van Sudan. Ze past ongeschreven en steeds absurdere regels toe en legt straffen op die komisch zouden zijn ware het niet dat ze het leven van jonge mensen, jonge meisjes en hun families onherstelbare schade toebrengen.

Ik ontmoette de eerste leden van die privépolitie aan de poort van de universiteit, waar ze staan met een opdracht die veel mannen die ik ken niet onaangenaam zouden vinden: meisjes bekijken. Ze van top tot teen inspecteren. Van voren, van achteren en van opzij. Kijken of hun kleding betamelijk genoeg is om het gebouw te mogen betreden. Of ze geen pantalon dragen, of de kleur van hun gewaad niet te vrolijk is, of hun nikab wel alles bedekt. Na verloop van enkele jaren kreeg deze universitaire politie ook de eerste vrouwelijke leden, die zich met grote inzet van hun taak kwijten.

Andere leden van deze politie doorkruisen het universiteitsterrein: de gebouwen, de gangen, de zalen, de tuinen, de cafetaria en vanzelfsprekend ook de studentenhuizen. Ze vervullen nauwgezet hun opdracht, die eruit bestaat om in naam van Allah stelletjes in de gaten te houden. Ze treden op als een jongen en een meisje zich afzonderen, wat inhoudt dat ze zich enkele meters verwijderen van hun groep vrienden, net of het in de wereld van de islamisten verplicht is bij een vriendengroep te horen. Ze treden op als een jongen en een meisje niet op een nette afstand van elkaar blijven, te weten minimaal één meter, en ze blijven doof voor de verklaring dat die jongen en dat meisje elkaar hielpen bij een natuurkunde- of een wiskundeprobleem, wat nu eenmaal niet gaat zonder in hetzelfde boek of schrift te kijken. Je kunt ze trouwens beter maar helemaal niets proberen uit te leggen en meteen aan hun maffe aanmaning gehoorzamen, om ze niet het plezier te gunnen te denken dat ze te maken hebben met een daad van verzet, die door de directie wordt bestraft met sancties die kunnen gaan tot verwijdering.

In 2009 arresteerde de politie van de universiteit van Khartoum twee 'zondaren'. Het waren een student en een studente die samen in de universiteitsbibliotheek zaten te studeren voor hun examen. Die bibliotheek zit doorgaans tjokvol, maar om een of andere reden – het was misschien het gebedsuur of het begin van de namiddag wanneer de hitte toeslaat in Khartoum – zaten die twee jonge mensen daar alleen. Voor onze bewakers van de goede zeden was dit te veel; de jongelui kregen niet eens een uitbrander, maar werden meteen meegenomen naar de directie, die ze onmiddellijk voor de tuchtraad sleepte, die geen verdediging toeliet en hun per onmiddellijk de toegang tot de universiteit ontzegde. In de weken daarna had iedereen in Khartoum het erover en wekte het verhaal grote verontwaardiging. Ikzelf was toen verwikkeld in mijn proces wegens het dragen van een pantalon en heb niet gevolgd hoe het is afgelopen. Ik weet niet of het meisje voor het gerecht is gedaagd en gegeseld, maar dat is wel waarschijnlijk.

Gedurende mijn vijf jaar op de universiteit heb ik me ver van politieke activiteiten en demonstraties gehouden, omdat ik dat had gezworen. Ik heb me ook onthouden van romances en avontuurtjes, die me alleen maar problemen met de ordediensten zouden hebben opgeleverd. Omdat ik mijn mond niet kan houden, kan ik ook niets verhullen.

Mijn belofte heeft bijna vijf jaar standgehouden. Bijna aan het einde van mijn laatste studiejaar liepen demonstraties aan de universiteit van Khartoum uit de hand. Een student die in het laatste jaar rechten zat, Mohammed Abdel Salam, wiens familie in Wad Madani woonde, werd opgepakt door de ordediensten. De volgende dag werd zijn lijk op straat gevonden, hij was duidelijk bezweken aan de stokslagen van de staatsveiligheidsdienst, waarschijnlijk tijdens zijn detentie. Dat was de aanleiding tot heftige rellen op alle universiteiten van het land en vooral die in Wad Madani. Ik heb toen mijn belofte niet kunnen houden: ik ben de straat opgegaan, ik heb deelgenomen aan de manifestaties en ik heb pamfletten geschreven en ondertekend. Ik las traktaten van islamistische studenten, aanhangers van Hassan al-Turabi, die de jihad aankondigden om 'de universiteiten te zuiveren'. Ik heb ze gewapend met kapmessen de 'samenzweerders' te lijf zien gaan, te weten de andere studenten, die op hun beurt weer stenen bij zich hadden. Er werd een imam ingeschakeld die bereid was een fatwa, een religieus decreet, uit te spreken om het gebruik, indien nodig, te legitimeren van vuurwapens door de 'regeringsgetrouwen'. De ordehandhavers hielden zich afzijdig; waarom zouden ze optreden als anderen in hun plaats het vuile werk deden? De vrienden met wie wij weliswaar niet de ideeën, maar wel de maaltijden en de collegebanken deelden en met wie wij in de tuinen discussieerden, waren onze vijanden geworden. De regering hoefde niet eens op te treden; ze had ervoor gezorgd dat we verdeeld raakten en plukte nu de vruchten van die verdeeldheid: een legioen mannen die in haar plaats vuile handen maakten. Als ik nu hoor praten over de Janjaweed, de hordes door de Sudanese regering opgerichte milities die in Darfur slachtingen aanrichten, verkrachten en de hun vroegere buren deporteren, denk ik onmiddellijk terug aan die demonstraties. Ik zie weer die studenten met wie wij brood, zout en plezier hadden gedeeld en die gerekruteerd waren door de overheid om ons met machetes te bedreigen. Na afloop van de demonstraties werd de gewelddadigheid van de studenten structureel; het was een georganiseerde gewelddadigheid van een ongeziene wreedheid, die niets meer te maken had met de kleine onenigheden van voordien. Precies zoals in Darfur, waar de verschillende stammen van tijd tot tijd met elkaar in aanvaring kwamen, maar waar het door de overheid georganiseerde geweld nu tot slachtingen leidt.

Ik ging dus demonstreren, ik schreef pamfletten en ik brak, kortom, mijn eed. Ik werd opgepakt. Niet voor lang, hooguit een paar uur. De tijd die nodig was om me deze boodschap in te prenten: als ik niet meteen de universiteit verliet zou ik hetzelfde lot ondergaan als Mohammed Abdel Salam, de student die in Khartoum vermoord was. Ik nam niet eens de tijd om mijn spullen op te ruimen. Ik vertrok halsoverkop uit Wad Madani. Voor de tweede keer werd ik weggestuurd van de universiteit, en nu slechts een paar weken voor de examens – ik zou die twee jaar later met succes afleggen, toen na de breuk tussen Omar al-Bashir en Hassan al-Turabi, de directeur van de universiteit, de politiechef van de regio en de verantwoordelijke van de staatsveiligheidsdienst werden afgevoerd en vervangen. Voor de zoveelste keer vluchtte ik naar naar mijn moeder in Omdurman.

Er restten me alleen nog mijn pen en mijn communicatiediploma. Ik nam zo snel mogelijk deel aan het vergelijkende examen journalistiek, dat toegang verschafte tot het vak. Ik slaagde meteen. We schrijven 1998. In een buitenwijk werd de farmaceutische fabriek Al-Chifa gebombardeerd door de Amerikanen, die vermoedden dat er zenuwgassen werden gemaakt. De Sudanese regering ontkende dat meteen, zij had ook uit voorzorg een iets minder radicale lijn gekozen dan ze tot dan toe had gevolgd. Ik had maar één wens: op mijn beurt onverbloemd, zonder hypocrisie verslag te doen van de actualiteit, om dingen in beweging te zetten. De harde realiteit zou me al snel duidelijk maken dat ik inderdaad journaliste was, maar wel journaliste in Sudan.

5
Nee!

De eerste deur waar ik aanklopte was niet de juiste. Het was de deur van een dagblad in Khartoum, waar een van mijn jaargenoten was aangenomen. De hoofdredacteur had me een onderhoud toegestaan. Hij had geluisterd naar wat ik hem vertelde over mijn medewerking aan Sudanese kranten in ballingschap en ook aan het driemaandelijkse *Al-Chaki-ka*, 'De zuster', een publicatie van de vrouwenafdeling van de Democratische Unie Partij. Ik had me door die partij aange-trokken gevoeld toen ik nog scholiere en studente was, maar ik was er nooit lid van geworden. Het jaar tevoren had ik meegewerkt aan de oprichting van dat blad en ik schreef er gratis voor over onderwerpen die me na aan het hart lagen: vrouwen, wetten en de manier waarop die werden toegepast. Ik was apetrots op mijn jonge carrière in de media, maar de hoofdredacteur wees me botweg af. Die avond werd ik ge-beld door mijn vriend. Hij wilde me geruststellen en hij ge-neerde zich: 'Trek het je niet aan, je hebt het prima gedaan. Hij wees je ook niet af vanwege je cv. Nou ja, niet helemaal.'

'Maar hij zoekt toch journalisten!'

'Mánnelijke journalisten. Hij is tegen het idee van wer-kende vrouwen.'

Ik had er dagen voor nodig om van die schok te bekomen. Niet de afwijzing van mijn kandidatuur zat me zo dwars, maar wel het onderuithalen van mijn illusies. Wat was ik naïef!

Ik had er niet aan gedacht dat journalisten producten van de samenleving waren, dat ze er deel van uitmaakten. Ik had ze op een voetstuk gezet door in elk van hen een vanzelfsprekend verlicht, ruimdenkend mens te zien en een verdediger van de mensenrechten en de menselijke waardigheid. De volgende twee afspraken waren al even teleurstellend: de een met een directeur die journalisten met onvoorstelbare botheid behandelde en met wie ik in elk geval nooit had kunnen samenwerken, de andere met een man die volgens mij een beetje te véél van vrouwen hield.

De Sudanese pers is heel rijk aan geschreven media. Na veel twijfelen of mijn beroepskeuze wel de juiste was geweest, klopte ik eindelijk aan bij een vierde dagblad. Het was de laatste poging, had ik mezelf gezworen. Gepokt en gemazeld door mijn eerdere ervaringen betrad ik zonder enige illusie het kantoor van de baas van *Al-Raï al-Akhar*, 'De andere mening'. Een uur later kwam ik naar buiten met een freelancecontract op zak. Ik had Abdallah Rizk natuurlijk verteld wat mijn ambities waren; niettemin gaf hij me, om mee te beginnen, de rubriek 'Diversen', over luchtige en curieuze onderwerpen. Ik wist helemaal niets van het ingewikkelde leven van Arabische zangers en acteurs, van de achtergronden van Egyptische soaps en Syrische films, over de recepties van de rijke Sudanezen in Khartoum en in het buitenland. Ik kreeg plezier in het schrijven, zelfs over onderwerpen die ver afstonden van mijn eigen bekommernissen en streven. Ik bleef me toch bovenal betrokken voelen bij het leven in mijn land – of beter gezegd bij het óverleven, nu de omstandigheden zo moeilijk waren geworden.

Op de 'Showpagina' verscheen elke dag een heel kort, heel scherp en heel veel gelezen stukje van de grote, intussen overleden, Sudanese radiojournaliste Leila el-Maghrebi. Ik wist eerst niet of Abdallah Rizk een geintje maakte of dat hij het meende toen hij, bij Leila's eerste afwezigheid, zijn hoofd om de hoek van de deur van mijn kamer stak: 'En heb jij geen idee voor een stukje?'

'Ik wel! Ik breng het u meteen.'

Het was eruit voordat ik het wist. Nu moest ik alleen nog een idee vinden. Een van onze buurjongens ging net die dag in militaire dienst, omdat hij anders geen universitair diploma zou kunnen behalen. Zijn ouders waren maar gewone mensen, zonder speciale contacten met de bonzen van het regime. Het was heel waarschijnlijk dat hij na enkele weken naar het zuidelijke front gestuurd zou worden, waar een slachtpartij aan gang was. Ik had mijn idee: spelen met het woord *shahada*, het Arabische woord voor 'diploma' en 'martelaarschap' tegelijk. Mijn stukje bestond uit één zin: 'Hij wilde zijn diploma halen; ze kwamen zijn ouders vertellen dat hij het martelaarschap had bereikt.' Het stukje werd onder mijn naam gepubliceerd. Het volgende ook: 'Hij zat in hun gevangenis, maar daar hebben ze hem weer uitgehaald. Ze brachten hem naar de stal en bonden hem vast aan een paal. "Nu ben je vrij," vertelden ze hem.' Dit stukje schreef ik toen de wet die politieke partijen toestond werd uitgevaardigd. Maar ze legden partijen zo veel beperkingen op, dat ze tegelijk vernederd werden...

Sindsdien was ik de (officieuze) vervangster van Leila el-Maghrebi. Als zij niet kon, wat steeds vaker gebeurde, nam ik het over. Ik gebruikte de politieke, sociale, culturele actualiteit en de tijdgeest om één of twee zinnen aan te besteden, waarvoor de enige eis was dat ze scherp moesten zijn. Het duurde niet lang of ik durfde mijn eerste grote artikel aan te bieden: een achtergrondartikel over het studentengeweld dat Sudan een aantal weken daarvoor had opgeschrikt en dat ik in Wad Madani zelf had meegemaakt. Het onderwerp lag gevoelig, de censuur zou het zeker onder de loep nemen en één fout bijzinnetje zou al genoeg zijn om de krant te laten verbieden. Abdallah Rizk las mijn stuk, zwakte hier en daar iets af en zo kreeg ik mijn eerste les in de kunst van het omzeilen van de altijd ongeschreven regels van de Sudanese censors. Ik klom al snel op naar de politieke kolommen van het dagblad, waarvoor ik leden van de regering en de oppositie interviewde. Uit de tijd van mijn politieke studentenactiviteiten kende ik er een aantal van en ik vond het enig dat ik nu aan de andere kant van de tafel zat. Een van mijn allereerste stukken werd door onze hoofdredacteur, Kamal Bakhit, die me altijd steunde en die me stimuleerde om steeds verder te gaan, doorgestuurd naar een in Londen gepubliceerde Arabische krant, die het stuk overnam. Ironisch genoeg publiceerde de baas van de krant bij wie ik het eerst had gesolliciteerd en die vond dat vrouwen thuis moesten blijven, er ook een paar lange uittreksels van. Ik denk niet dat hij in de gaten had dat de auteur van het interview de jonge vrouw was die hij ooit had afgewezen.

Nog geen jaar later verliet Kamal Bakhit *Al-Raï al-Akhar* voor een andere krant, *Al-Sahafa*, 'De pers'. Die was in 1961 opgericht door de man die mijn echtgenoot zou worden, Abdel-Rahman Mokhtar. *Al-Sahafa* was in 1970 door Jaafar Numeiri genationaliseerd en daarna weer teruggeven aan de eigenaar. Die was de treiterijen door de politieke machten en de censuur zo beu dat hij de krant een sluimerbestaan had laten leiden sinds hij in 1985, het jaar van de val van Numeiri, zijn exploitatievergunning had teruggekregen. In de loop van de jaren groeide wat aanvankelijk een plaatselijke krant was uit tot een legende. Om redenen die hij achteraf zelf niet eens goed begreep had Abdel-Rahman Mokhtar, die inmiddels een succesvol zakenman was geworden, veertien jaar later besloten om zijn krant nieuw leven in te blazen. Zoals de nieuwe wet eiste, associeerde hij zich met meerdere mensen, onder wie een tot inkeer gekomen islamist, en richtte hij een firma op waaraan hij de exploitatievergunning afstond. Zijn opzet was heel ambitieus: een krant van zestien pagina's (de andere dagbladen hielden het bij twaalf), in full colour, wat een première was in Sudan. De beste Arabische en Sudanese schrijvers zouden worden aangetrokken, óók opposanten en bannelingen.

Kamal Bakhit stelde me voor om mee te doen aan dit nieuwe avontuur. Ik aarzelde geen moment en volgde hem. Wat een emotie om dat witte gebouwtje te leren kennen waar de redactie in huisde! De opwinding om mijn eerste echte contract te tekenen. Niet een freelanceovereenkomst, maar een echt arbeidscontract waaraan een salaris verbonden was. Mijn emotie had ook te maken met mijn verleden, met de foto van dat levenslustige meisje met haar stralende glimlach die op een dag in de meimaand van 1976 in diezelfde krant had gestaan. Dat meisje was ik. Het was mijn derde verjaardag, mijn vader was die komen vieren en de publicatie van mijn foto was zijn cadeautje. Ik heb die krant heel lang gekoesterd...

Ik kwam op de afdeling waar de achtergrondartikelen wer-

den geschreven. Ik deelde een kantoor met twee collega's, onder wie Abdallah Rizk, die ook bij ons was komen werken. De
kamer was ruim genoeg om elkaar niet in de weg te zitten en
de andere journalisten en bezoekers vielen er graag binnen
voor altijd geanimeerde en openhartige discussies. Mijn
schrijfdrift vermaakte iedereen. Ik was niet te remmen en
deed mijn werk met tomeloos enthousiasme. Elke journalist
mocht een keer per week een opiniestuk schrijven, waar zijn
foto en naam bij kwamen te staan. Ik kon mijn beurt haast
niet afwachten; ik snakte er al zo lang naar om mijn mening
kwijt te kunnen! Ik had weliswaar tijdens de studentende-
monstraties traktaten geschreven die ik had ondertekend,
had aangeplakt op de muren en die ik angstvallig urenlang
had staan beschermen tegen de 'regeringsgetrouwen' die ze
wilden verwijderen, bekladden of natspuiten. Maar nu kon
ik me uitspreken in een krant, niet op een muur. Ik kon nu
mijn mening geven, niet voor een paar honderd studenten,
maar aan tienduizenden krantenlezers. En nog wel in de
krant die ik kende uit mijn kindertijd die mijn vader als hij
thuis was op de divan liet liggen, de krant waaruit hij zijn informatie haalde en die hij vertrouwde, de krant die hij ci-
teerde.

Mijn collega's waren minder enthousiast; voor hen was
zo'n opiniestuk een verdomde plicht. Sommigen waren hui-
verig voor die klus en ik moet toegeven dat het een moeilijke
oefening was om de censuur te omzeilen en toch onversne-
den je mening te geven. Ze waren zo murw geraakt door de
zelfcensuur dat ze geen zin meer hadden in opiniestukken
en zich verscholen achter nieuwsfeiten. Anderen voerden
ziekte of achterstand met hun artikelen aan om hun laksheid te verbergen. Mensen blijven mensen. Ze hoefden mij

hun problemen maar toe te vertrouwen en ik greep de kans met beide handen aan. Ik hielp ze uit de brand en maakte tegelijkertijd mijn eigen ambities waar. Mijn opiniestuk verscheen steeds vaker: twee keer, drie keer en ten slotte vier keer per week. Kamal Bakhit zwakte af waar nodig – ik kreeg de spelregels al snel onder de knie –, maar hij liet me vrij in de keuze van mijn onderwerpen. Ik moet hierbij hulde brengen aan de kroniekschrijvers die me bij mijn eerste stappen hebben begeleid, die me diepzinnigheid hebben bijgebracht en die me leerden hoe je ideeën kunt hanteren. Ze waren mijn meesters, zoals onder anderen Al-Hajj Warak, een grote naam uit de Sudanese journalistiek.

Het idee van een wekelijkse rubriek drong zich nu letterlijk op en werd aangekondigd door de directie van de krant. Het gaf heel wat gemor bij mijn collega's, inclusief diegenen die eerst zo blij waren als ik ze verloste van wat zij als corvee beschouwden. Ze voerden aan dat alleen maar grote schrijvers en ervaren journalisten een wekelijkse rubriek in *Al-Sahafa* verdienden. Ze wezen op mijn jeugdige leeftijd, mijn onstuimigheid, mijn onervarenheid, maar de bazen bleven bij hun besluit. Die vonden dat ik mijn sporen voldoende had verdiend omdat lezers naar de krant belden als mijn stuk om de een of andere reden niet was verschenen. Na enkele weken nam het gemopper onder mijn collega's af en vervolgens woei het over.

Zo kreeg ik 'Erewoord', de rubriek waardoor ik in Sudan bekend ben geworden. Ik schreef over de meest uiteenlopende onderwerpen, naargelang de actualiteit, mijn reizen of mijn stemming. Ik spaarde mijn kritiek niet als er bijvoorbeeld een fatwa werd uitgeroepen die het liften toestond uit naam van de medemenselijkheid en met verwijzing naar de

Hadith, de uitspraken van de Profeet. Die fatwa werd ondersteund door een grote reclamecampagne, met enorme billboards langs de hoofdwegen en bij de bruggen over de Nijl. Ik heb op zich niets tegen het liften, hoewel ik denk dat die praktijk gevaarlijk kan zijn voor autobestuurder en lifter. Maar ik verdraag geen tegenstrijdigheden. In dit bizarre land staat een fatwa een vrouw dus toe om een man te laten stoppen en bij hem in de auto te stappen. Maar in hetzelfde bizarre land mogen een man en vrouw niet samen in één auto zitten als ze geen bloedverwanten zijn die niet met elkaar mogen trouwen, en als ze geen echtpaar zijn. Volgens deze fatwa, die door de politieagenten wordt uitgelegd zoals het hun het beste uitkomt, wordt de ene liftster dus ongemoeid gelaten, terwijl de andere wordt meegenomen naar het commissariaat, wordt berecht en wordt gegeseld. Dat is maar één van de tegenstrijdigheden die ik heb aangekaart, wat me te staan kwam op gelukwensen van sommige lezers, maar woede, kritiek en zelfs bedreigingen van heel veel andere.

Ik heb het lef gehad om, weliswaar indirect en retorisch, de legitimiteit aan te kaarten van de heilige oorlog in het zuiden van Sudan. De overheid had toen het fnuikende principe van de autocensuur opgelegd, waardoor de volle verantwoordelijkheid voor de eventuele gevolgen van publicaties geheel bij de krant en de journalisten zelf kwam te liggen. De dag waarop mijn stuk verscheen hebben we benauwd zitten wachten of we misschien bezoek van de politie zouden krijgen. Gelukkig had Kamal Bakhit het artikel helemaal uitgepluisd en bleef ons bespaard wat er gebeurde bij *Al-Raï al-Akhar*, de krant waar ik was begonnen. Niet lang nadat ik er was weggegaan kreeg die krant op bevel van Omar al-Bashir een definitief publicatieverbod (en geen tijdelijke schorsing) wegens belediging van de islam. Zo toonden de leiders van de republiek hun afkeuring van een artikel over nieuwe gebouwen die verrezen op de oever van de Nijl: een grote moskee die de rivier haar rug toekeerde, de Koranuniversiteit die hetzelfde deed, een duur hotel op de plek waar voorheen de dierentuin van Khartoum was, een van de oudste zoos van Afrika. Heel indirect en heel voorzichtig had de journalist zich afgevraagd of andere projecten niet winstgevender geweest zouden zijn, voor de bevolking en voor het toerisme. Tenslotte kun je moskeeën, universiteiten en hotels overal neerzetten. Deze vraag had niet gesteld mogen worden...

Ik schreef 'Joejoes, joejoes', dat een verwijzing was naar de vreugdekreten van de vrouwen toen onze regering in 2002 weer was gaan onderhandelen met het zuidelijke leger van John Garang. Ik sprak me in dat stuk onomwonden uit voor een vredesakkoord, op het gevaar af mijn krant daarmee in een moeilijk parket te brengen. Ik klaagde het gedraai aan van onze onderhandelaars, die ineens onbegrijpelijke gewetensbezwaren aanvoerden die ik alleen maar kon interpreteren als chantage en op het laatste moment hun handtekening niet wilden zetten, zogenaamd omdat de andere partij, de Sudanese People's Liberation Army (SPLA), een leger was: 'Er is maar één leger en dat is het Sudanese leger,' zeiden ze boos en ze eisten de ontbinding van de SPLA. Ze hadden wellicht in principe misschien gelijk, maar in 1997 hadden ze wel al eens een akkoord gesloten met afvalligen van de SPLA, die zich ook een 'leger' noemden. Dat de regering zich nu ineens achter zulke preutsheden verschool, kon toch alleen maar kwade wil verbergen? Er was maar één partij om een akkoord mee te sluiten, ongeacht de naam die deze partij voerde! Ik verwachtte van die onderhandelingen een serieus vredesakkoord, de enige garantie voor politieke stabiliteit in Sudan. Ik begreep dan ook niet waarom men koppig een absurde oorlog bleef voeren, die het voornaamste obstakel vormde voor de opleving van het toerisme, dat een zegen voor ons land zou kunnen zijn, net als het is voor onze buurlanden, Egypte in het noorden en Kenia in het zuiden.

In 1999 keerde Hassan al-Turabi, die toen voorzitter van het parlement was, zich tegen zijn medestander Omar al-Bashir. Het parlement werd ontbonden, Al-Turabi vloog de gevangenis in, de noodtoestand werd uitgeroepen en de controle op de media werd verscherpt. Omar al-Bashir had geen vertrouwen meer in de autocensuur; elke publicatie kreeg nu twee censors toegewezen.

Die kwamen altijd laat in de namiddag, nors kijkend en niet in voor grapjes, op de redactie. Ze gingen in het kantoor van de hoofdredacteur zitten en begonnen te lezen met de pen in de aanslag. Alle kopij van de krant werd hun natuurlijk voorgelegd en ze schrapten misprijzend de zinnen of zelfs hele artikelen die hun onwelgevallig waren. Boosaardig omcirkelden ze alle woorden die hun niet bevielen; ze beargumenteerden hun keuze niet en ze legden niet uit welke regels ze volgden. Een denkbeeld dat de ene dag was goedgekeurd, werd de dag daarop verboden. Een naam of een woord kon om onnaspeurbare redenen worden geschrapt, maar achtenveertig uur later lieten ze het staan. We namen de kopij terug, we herschreven alles zonder iets te vragen, zonder te durven protesteren. Vooral de voorpagina en de columns kregen hun speciale aandacht.

Uiteindelijk raakte ik eraan gewend dat ze mijn columns verminkten en ik had altijd een onschuldiger tekst achter de hand om het gewraakte artikel te vervangen als het te veel had geleden onder hun slagerswerk. Mijn stukken werden systematisch gecensureerd, zelfs al waren ze eerst gelezen en herlezen door de hoofdredacteur, die de scherpe kantjes er al had afgevijld. Maar door hun werk op de redacties en hun omgang met journalisten kregen sommige censors de smaak te pakken; ze beperkten zich meer niet tot schrappen, ze herschreven. Een bepaald idee beviel ze niet? Dan schreven ze in de kantlijn precies het tegenovergestelde. Ik had ermee leren leven dat er in mijn uitlatingen werd geknipt, dat ze mij verboden om voor mijn mening uit te komen, maar er kon geen sprake van zijn dat ik het tegenovergestelde daarvan voor mijn rekening zou nemen, dat ze mijn naam zetten onder iets wat ik niet gezegd zou willen hebben.

'Ik zal ze voorstellen dat we van baan wisselen. Dat zij 's ochtends hier komen zitten schrijven en dat ik het 's avonds zal lezen,' foeterde ik tegen de hoofdredacteur.

Ironisch genoeg hebben veel van die censors deelgenomen aan het vergelijkende examen journalistiek. Heel wat van hen gingen uiteindelijk het vak in en sommigen schrijven nog steeds columns voor Sudanese kranten.

Omdat er thuis geen gezin op me wachtte kon ik op de redactie blijven tot ze klaar waren om te kijken wat ze van mijn stukken hadden overgelaten. Ik schreef, zij schrapten. Ik herschreef, zij schrapten weer. Dat ging zo door tot ik het opgaf en de reservecolumn tevoorschijn haalde, die dan ging over een volkomen onbenullig onderwerp. Dat spelletje schenen ze leuk te vinden, maar mij joeg het over de rooie. Hadden die censors duidelijke instructies of deden ze maar wat, naargelang hun stemming of de naam van journalist in kwestie? Ik hing de tweede stelling aan. Ze werden zelf ook zwaar gecontroleerd en als ze ook maar één woord of één zinnetje lieten staan dat fout viel bij hun meerderen, dan wachtte hun waarschijnlijk een zeer onaangenaam onderhoud. Uiteraard reageerden ze zich dan af op de journalist aan wie ze die uitbrander te danken hadden; die mocht een week of langer niets schrijven. Maar dat werd hem of haar natuurlijk niet in zoveel woorden gezegd. Alles wat je schreef werd geschrapt, gecensureerd, niet gepubliceerd. Wat waren mijn universiteitsjaren eigenlijk probleemloos geweest: toen kon ik nog onderhandelen met de islamistische studenten die zichzelf tot censors hadden uitgeroepen en mijn pamfletten op de korrel namen. Ik bekte ze af, ik verdedigde mijn plakkaten met mijn eigen lijf en ik schreeuwde mijn denkbeelden uit. Dat was nu wel anders. In plaats van mijn artikelen met hart en ziel te verdedigen ging ik braaf terug naar mijn plaats om mijn arme stuk vol met doorhalingen te herschrijven.

Op een de dag was ik het beu. Ik kondigde mijn lezers, en daarmee ook mijn censors, aan dat 'Erewoord' een koersverandering zou ondergaan. Omdat ik het niet over politiek en over maatschappelijke en culturele thema's mocht hebben, zou ik culinaire onderwerpen gaan behandelen. Dat deed ik meteen de volgende dag al door het recept te geven van *oum roueyka*, een plaatselijke specialiteit op basis van gedroogde en gemalen gombo's. Vol vertrouwen over de goede afloop en nogal voldaan over de loer die ik de censuur had gedraaid, wachtte ik die avond tot ik mijn stuk terug zou krijgen. Dat duurde niet lang. Het stond vol doorhalingen en het was herschreven. De tomaten en de courgettes waren weggecensureerd; die waren vervangen door aardappelen. Het was niet alleen volslagen belachelijk, maar ook van een ongelooflijke culinaire stompzinnigheid. Dat was de druppel die de emmer deed overlopen. Ik kopieerde het gecensureerde artikel en stuurde de kopie naar het officiële Bureau voor Klachten van de Burgers. Ik deed er een briefje bij waarin ik om een lijst van verboden groenten vroeg die ik dan niet meer zou eten en waarvan ik de naam zelfs nooit meer zou neerschrijven. Het bureau heeft me nooit geantwoord, maar ik heb zorgvuldig een kopie van mijn klacht bewaard. Voor het nageslacht.

Vervolgens probeerde ik het genre van de dierenfabel. In het voormalige dierenpark van Khartoum, die heerlijke tovertuin, woonde vroeger een nijlpaard. Het was volmaakt gelukkig en leefde een bedaard leventje. Tot het moment dat zijn huis werd gevorderd. Dat zo tevreden dier werd van de ene op de andere dag een arme vluchteling – het ongeluk treft niet alleen de mensen. Door de honger gedreven zwom hij de Nijl af tot aan Omdurman met zijn landbouwgronden langs de rivier. Hij rekende op de goedhartigheid van zijn buren en deed zich te goed aan hun gewassen. Maar de boeren kregen genoeg van zijn strooptochten en spanden een valstrik. Het arme nijlpaard had niets in de gaten en liep in de val. De boeren doodden hem en aten hem op. Die dierenfabel raakte door de censuur als een onschuldig kinderverhaaltje. Mijn metafoor voor de situatie in Sudan werd ongewijzigd gepubliceerd en in de dagen daarna was de fabel onderwerp van alle gesprekken. Mijn chef betreurde mijn onbezonnenheid. Voor de dienst Censuur was het knap vervelend: er kon me worden verweten het stuk geschreven te hebben, maar niet dat het was gepubliceerd; ik had het voorgelegd aan de censors en die hadden het goedgekeurd.

Ik was verrukt over mijn kunstje. Je moest dus gewoon

nog hypocrieter zijn dan de hypocrieten zelf? Ik doopte mijn pen in honing en beweende het lot van een hoge piet van het regime die tijdens gevechten in het zuiden was gesneuveld. Hij was een bewaker van de religieuze rechtzinnigheid, maar zijn voorkeur voor jongetjes was algemeen bekend en onderwerp van gesprek in Khartoum. 'Hij was een reine ziel in een verdorven lichaam,' zeiden zijn naasten. Hij stierf dus in het Zuiden als een martelaar die zijn ziel had opgedragen aan God, zoals ik niet naliet te benadrukken. Ik eindigde mijn column met de bede aan de Allerhoogste om hem Zijn Genade te schenken en hem in het paradijs te omringen met de schone jongelingen die hem ongetwijfeld waren beloofd.

Een van de laatste kwesties waarvoor ik me inzette voordat ik de pen neerlegde, was de vrede in Darfur. Er was intussen een nieuw systeem van censuur bedacht, dat een mix was van de twee voorgaande. De journalisten werden geacht zichzelf te censureren en werden aansprakelijk gehouden voor wat ze schreven. Anderzijds moesten de kranten ook rekening houden met onverwachte bezoeken van censors, en die waren heel frequent. Ze lazen niet meer alle artikelen tot in de kleinste lettertjes, maar de functionarissen van de staat letten er vooral op dat er geen 'verboden onderwerpen' in werden aangesneden, bijvoorbeeld de geheime oliecontracten die onderdeel zijn van een dubbelzinnig artikel in het vredesakkoord dat Noord- en Zuid-Sudan in 2005 tekenden, onder toezicht van de internationale gemeenschap. Of de aanwezigheid van een internationale vredesmacht in Darfur, waar de hele wereld om vroeg, maar die aanvankelijk door onze regering werd geweigerd. Omar al-Bashir had gezworen dat hij die troepen niet zou toelaten op Sudanees grondgebied. Hij had dat gezworen met een knipoog naar een volksgezegde: hij zou scheiden als die troepen toch kwamen. Diezelfde dag nog wenste ik Sudan geluk met de komst van een internationale vredesmacht – want niet lang daarna kwam die er inderdaad. Hoewel om onze regering gezichtsverlies te besparen onder een andere naam: de 'vredesmacht vn-Afrikaanse Unie' had de opdracht om de hulporganisaties en de burgers te beschermen en de uitvoering van de vredesakkoorden te ondersteunen.

Ik protesteerde toen de term jihad werd gebruikt voor de oorlog met het Zuiden en ik verzette me ook tegen pogingen om de oorlog in Darfur datzelfde etiket op te plakken. De bevolking van Darfur bestaat uit uiterst rechtzinnige moslims die nog strenggeloviger zijn dan de Janjaweedmilities. De bevolking van het Zuiden was overwegend animist of christen. Er waren boosaardige geruchten in omloop, als zouden de Verenigde Staten en Israël van plan zijn Darfur binnen te trekken. Die waren 'ongelovigen' en dat rechtvaardigde dus de heilige oorlog. 'Kletspraat!' had ik durven schrijven. Daarna kwamen er toespelingen op een verdeeldheid tussen Afrikanen en Arabieren. Ik dreef de spot met de aandoenlijke pretentie van de Noord-Sudanezen om zich Arabieren te noemen, nakomelingen van de Mekkalijn van de stam der Hasjemieten, de stam van de Profeet van de islam. Kijk toch eens in de spiegel: we zijn allemaal zwarten! We zijn uiterlijk veel meer Afrikanen dan Arabieren. Voor Arabieren zijn wij allemaal zwarten, allemaal Afrikanen. We hebben platte neuzen en dikke lippen. Helaas willen maar weinig Sudanezen dat inzien.

Altijd moest ik schipperen, altijd moest ik me beheersen. Toch heb ik risico's genomen, ik heb de grenzen van het toelaatbare opgezocht door de corruptie bij de overheid, de verspilling van gemeenschapsgelden aan te klagen. Ik sprak schande van de benoemingen van overheidspersoneel, dat niet werd aangenomen op grond van competentie, maar vanwege trouw aan het regime. Ik heb de vraag durven stellen waarom het goud dat gewonnen werd in Sudanese mijnen niet in het staatsbudget werd opgenomen – en daarvoor kreeg ik doodsbedreigingen. Ik heb het bestaan om terrorisme te veroordelen en de aanwezigheid van Amerikaanse troepen in Afghanistan toe te juichen. Hoewel ik dat laatste niet heb durven doen toen ze Irak binnentrokken en Saddam Hoessein verjoegen.

In 2007 verliet ik de journalistiek. Niet lang daarna had het plaatselijke vn-kantoor personeel nodig; ik solliciteerde en werd aangenomen. Ooit zal ik misschien weer eens aan journalistiek gaan doen; ik heb nog steeds de drang tot informeren. Maar voorlopig ben ik nog te moe van alle gevechten die ik heb moeten leveren...

6

Abdel-Rahman

Hij had de journalistiek verlaten aan het begin van de jaren zeventig, doodop van die eeuwige worsteling met de overheid over de vrijheid van meningsuiting. Hij had gewerkt in de onroerendgoedsector, hij had een kunststoffabriek opgericht, maar zijn naam is vooral een referentie gebleven in de krantenwereld van Sudan en in de hele Arabische pers, waarin hij van tijd tot tijd opiniestukken bleef publiceren.

In 1999 blies Abdel-Rahman Mokhtar *Al-Sahafa*, de krant die hij in 1961 al had opgericht, nieuw leven in. Hij verkoos daarbij om op de achtergrond te blijven; hij vervulde geen redactionele functie en in het organisatieschema werd hij genoemd als oprichter en lid van de raad van bestuur. Eens in de twee, drie weken kwam hij langs op de krant om met de hoofdredactie de grote lijnen van het redactionele beleid te bespreken. Wij, de jonge journalisten, lieten de kans nooit voorbijgaan om de grote man eerbiedig te begroeten. Hoewel hij toen al ver in de zestig was, blaakte hij van energie en we waren diep onder de indruk van zijn levensloop. Wij hadden nog nauwelijks een voet buiten Sudan gezet, maar hij had al veel gereisd; hij kende de Arabische landen, Europa en de Verenigde Staten. We wisten dat hij veel groten der aarde had ontmoet en had geïnterviewd, vooral zijn gesprek met Mao Zedong was een heel evenement geweest.

Abdel-Rahman Mokhtar had een voornaam voorkomen. Hij was lang, hij had altijd een kaarsrechte houding, zijn blik was levendig en hij had een smalle snor. Zijn gelaatstrekken waren niet echt regelmatig te noemen; zijn gezicht was niet knap, maar sterk. Hij had het soort gezicht dat je niet gauw vergeet. Hij was beleefd tegen hoog en tegen laag, luisterde altijd naar zijn gesprekspartners, wie ze ook waren, en die zeldzame eigenschap bleef iedereen bij die hem ooit had ontmoet. Doorgaans was hij onberispelijk Europees gekleed. Af en toe hulde hij zich uit koketterie in traditionele stijl, in het witte gewaad met een witte tulband, de *omma*, om het hoofd gewikkeld. We vonden hem prachtig zo.

De wedergeboorte van *Al-Sahafa* was nog maar pril toen ik een artikel schreef over de geschiedenis van de krant en haar streven om schrijvers een platform te bieden, de beroemdste Arabische en Sudanese emigranten incluis. Ik werd in de kamer van de hoofdredacteur ontboden en zoiets was altijd een serieuze zaak. Ik wist niet zeker of ik zou worden uitgekafferd, de waarschijnlijkste optie, of gecomplimenteerd. Maar waarvoor dan? Ik kreeg het nog benauwder toen ik Abdel-Rahman Mokhtar zag zitten. Razendsnel liet ik in gedachten alle rampen de revue passeren die ik eventueel had kunnen aanrichten, door iets wat ik had gezegd of geschreven. De paniek stond blijkbaar op mijn gezicht te lezen, want nog voordat ik de gebruikelijke plichtplegingen had kunnen afwerken, zei Kamal Bakhit met een brede grijns: 'Je artikelen worden zoals je weet gewaardeerd door heel veel lezers, onder wie ook Abdel-Rahman.'

Met een ontwapenende eenvoud die je niet veel tegen-
komt bij persmagnaten, complimenteerde Abdel-Rahman
me voor het artikel dat ik over onze krant had geschreven.
Daarna ging het over andere artikelen die ik had geschreven
of nog aan het schrijven was. Ik merkte dat hij, hoewel hij
weinig op de redactie kwam, op de voet volgde wat er allemaal gebeurde bij *Al-Sahafa*. Ons eerste gesprek was maar
kort; ik kwam naar buiten met een nog grotere bewondering
voor de man wiens intelligentie en wijsheid ik al had leren
kennen.

Daarna nodigde Abdel-Rahman me als hij op de redactie
kwam altijd uit in de kamer van de hoofdredacteur waar hij
dan zijn kamp opsloeg. We bespraken mijn artikelen, waarvan hij dan sommige herlas; hij corrigeerde ze en gaf me wijze raad. Zijn lessen in journalistiek waren enorm kostbaar
voor me. We bespraken de actualiteit van Sudan en ik kon
me volledig vinden in zijn visie op het land en de toekomst
ervan. Ik was verrukt toen hij me een exemplaar schonk van
een boek dat hij had geschreven en dat hij voor me signeerde
met de voorspelling dat me een briljante toekomst wachtte.
We wisselden telefoonnummers uit, hij belde me regelmatig,
maar die babbeltjes bleven strikt professioneel. Onze band,
die we niet verborgen, maakte dat sommigen van mijn collega's jaloers op me werden, maar ik negeerde de opmerkin-
gen en steken onder water die mij ten deel vielen. Ik deed
ook of ik de bezorgdheid niet merkte van mijn naasten die
begonnen te vrezen dat ik een 'oude vrijster' zou worden.
Die status krijgt een meisje in Sudan al heel vroeg en dat
brengt haar huwelijkskansen danig in gevaar. Ik ging helemaal op in mijn werk en ik ben mijn moeder dankbaar dat
ze me met rust liet en dat ze me zelfs in bescherming heeft

genomen toen ik twee achtereenvolgende huwelijkspretendenten die ik niet zag zitten had afgewezen.

Mijn moeder hield me ook niet tegen toen ik voor drie weken vertrok om een reportage te gaan maken in de regio Kordofan, de grensstreek tussen Noord- en Zuid-Sudan waar toen de oorlog woedde. Ze is altijd een van de weinigen geweest die begrip had voor mijn diepgewortelde behoefte aan vrijheid, die ik waarschijnlijk van haar geërfd heb. Ze had trouwens zelf ook op het lyceum gezeten en ze was voor haar huwelijk nog een blauwe maandag redactrice geweest van het literaire tijdschrift *Al-Sabah al-Jahid.*

In Kordofan werd je 's nachts opgeschrikt door het gebulder van de bombardementen. Overdag reden we door de streek over onverharde wegen met uitgebrande autowrakken in de bermen. 'Die-en-die reed met deze wagen, hij is gestorven als *shahid,* als martelaar,' doceerde de gids die als begeleider was toegevoegd aan ons groepje journalisten. Ik stond doodsangsten uit en beken dat ik mezelf al zag als de volgende shahid van die oorlog, een allesbehalve leuk vooruitzicht.

Gedurende die drie weken heb ik veel geschreven en er werd veel van me gepubliceerd. Ik bezocht steden en dorpjes om de streekbewoners te ontmoeten. Ik deed navraag naar de sluiting van de scholen en ik kwam erachter dat die niets te maken had met de oorlog, maar alles met de 'onderwijsrevolutie'. Daardoor kwamen de salarissen van de onderwijzers van de lagere scholen geheel ten laste van de lokale gemeenschappen, die daarvoor geen enkele tegemoetkoming van de staat kregen. De allerarmste gemeenschappen konden dat eenvoudigweg niet betalen; de onderwijzers, die al een jaar onbezoldigd hadden gewerkt, bleven nu thuis en dus de leerlingen ook. Dat generaties kinderen geen onderwijs meer kregen was dus mede te wijten aan de 'onderwijsrevolutie' en niet uitsluitend aan de oorlog, wat onze leiders in Khartoum ons wilden doen geloven. In diezelfde periode werd er in Kordofan nog een faculteit Onderwijskunde geopend, maar in Sudan zijn zulke ongerijmdheden niet ongewoon. Mijn liefde voor ecologie en milieuvraagstukken inspireerde me om ook een artikel te wijden aan de rijke flora en fauna van de regio, die werd opgeofferd aan de oliebelangen; ik beschreef de gazellen en de vogels, de velden met wilde ananas en de metershoge papaja's. Ik betreurde al de verloren en de bedreigde schatten.

Ik onthulde ook dat er geheime vredesbesprekingen aan de gang waren; die van Belinja hadden net tevoren plaatsgevonden. Er was al heel wat een gehakketakt tussen Noorden Zuid-Sudan! Maar deze manoeuvre was ronduit meesterlijk; onze regering sloeg haar eigen delegatie in de boeien op beschuldiging van verraad en heulen met de 'vijand'. Ik woonde een openbare zitting bij die was georganiseerd door de prefect van de regio Zuid-Kordofan, waar de meeste inwoners leden van de Nuba-stam zijn. Vierentwintig mensen werden toegelaten in de zaal en zij staken hun hand op om hun vragen te mogen stellen, die door de prefect werden beantwoord. Er waren al een stuk of twaalf vragen afgewerkt en de bijeenkomst liep op haar eind toen ik ook mijn hand opstak: 'Waarom geeft u geen antwoord als Nuba's iets willen zeggen?' vroeg ik onschuldig.

'Hoe kan ik zien wie Nuba is en wie niet? We zijn allemaal zwart! zei de prefect op bitse toon, wat onmiddellijk werd opgepikt door de andere aanwezige journalisten.

Ik hoefde de man niet eens verder te sarren door hem

erop te wijzen dat de Nuba's zich toch heel opvallend kleden, dat hij alle ingezetenen bij naam bleek te kennen, en dat uit namen altijd op te maken viel bij welke stam iemand hoorde. Via journalisten die de scène hadden bijgewoond kreeg mijn redactie te horen wat er was gebeurd en Abdel-Rahman vertelde me later dat hij er erg om had moeten lachen.

Weer terug in Khartoum hoorde ik dat er in het gebouw van *Al-Sahafa* een feestje werd georganiseerd ter gelegenheid van de verkiezing van de journalist van het jaar. Ik ging er gewoon heen om te kijken en werd tot mijn grote verrassing en ontroering onthaald als de winnaar. Dat was grotendeels dankzij mijn Kordofan-artikelen en -reportages, die een werkelijkheid hadden laten zien die in de rest van Sudan maar nauwelijks bekend was. De boze tongen lieten zich niet onbetuigd en wezen erop dat de jury bestond uit maar twee personen, en wel Kamal Bakhit en Abdel-Rahman Mokhtar. Er werd dus openlijk getwijfeld aan de onpartijdigheid van de jury, hoewel ook in andere kranten in de kwaliteit van mijn artikelen werd geloofd.

Ik had natuurlijk wel gemerkt dat Abdel-Rahman belangstelling voor me had, maar ik was ervan overtuigd dat die interesse louter beroepsmatig was; het kwam eenvoudig niet bij me op dat er nog iets anders zou kunnen meespelen. Ik wist dat hij na een lang huwelijk was gescheiden en dat hij geen kinderen had. Er werd gefluisterd dat zijn vrouw vier keer zwanger was geweest en vier keer een miskraam had gehad. De doorsnee-Sudanese man zou, bekommerd om zijn nageslacht, zijn vrouw in zo'n geval hebben verlaten. Of hij zou een tweede of een derde vrouw genomen hebben, wat de islam en de Sudanese wet toestaan. In de loop van onze discussies had hij me zijn visie gegeven op vrouwen en op echtgenotes, die hij beschouwde als levensgezellinnen, partners en niet slechts als broedkippen. Ik was erg verrast door zo'n moderne redenering, die erg afweek van de denkbeelden van de jonge mensen om me heen en van de mannen die ik had ontmoet. Abdel-Rahman had veel respect voor vrouwen. Hij zag ze als volwaardige mensen, wat in Sudan allerminst vanzelfsprekend is en ik kon beter met hem opschieten dan met wie dan ook. Hij was bijna zeventig, ik was vijfentwintig, maar in hem had ik eindelijk een echte vriend gevonden.

Ik was echter stomverbaasd toen Abdel-Rahman me op een dag opbelde en me plompverloren ten huwelijk vroeg. Ik dacht echt dat hij een grapje maakte en ik antwoordde hem ook gekscherend. Hij drong niet verder aan, maar in de weken die volgden maakte hij soms een toespeling op zijn vraag. Ik begon gaandeweg te begrijpen dat het hem ernst was. Dat was in 1999 en ik was toen verliefd op iemand anders, op de onschuldige manier waarop Sudanese meisjes verliefd zijn, maar ik wilde Abdel-Rahman niet kwetsen of beledigen. Daarom ben ik lang blijven doen of ik dacht dat hij een grapje maakte.

Een jaar later kondigde Abdel-Rahman aan dat hij ging trouwen met een Italiaans-Eritreaanse vrouw. Acht maanden later scheidde hij alweer van haar. Zijn vrouw vond het heerlijk om hem te volgen naar Londen, waar hij ongeveer vier maanden per jaar verbleef; ze vond het ook prima om met hem mee te gaan naar Saudi-Arabië, waar hij een of twee maanden heen ging voor zaken, maar ze weigerde om in Sudan te komen wonen, het land waaraan hij zo gehecht was en waar hij het grootste deel van het jaar doorbracht. We hervatten onze lange gesprekken. Hij verbeterde mijn artikelen steeds minder vaak; hij maakte me steeds vaker deelgenoot van zijn visie op de toekomst en van zijn bekommer-nissen. We namen het nieuws samen door en we vloekten sa-men om wat er gebeurde.

Vijf jaar na zijn eerste huwelijksaanzoek herhaalde hij, in september 2003, zijn vraag. Die keer nam ik hem wel serieus. Ik zei geen nee en ik zei geen ja, maar ik vroeg bedenktijd. Hij had vijf jaar gewacht; hij kon best nog een paar dagen ge-duld hebben. Hij wachtte.

Ik dacht erover na, ik had veel twijfels. Ik sprak er met nie-mand over, ik vroeg niemand om raad: het ging om mijn eigen leven en alleen ik kon erover beslissen. Het leeftijds-verschil leek me onoverkomelijk. Of toch? Als Abdel-Rah-man twintig of dertig jaar jonger was geweest, zou ik geen seconde hebben geaarzeld: hij zou het mooiste geschenk zijn geweest dat ik had kunnen dromen; hij had alles wat ik kon verlangen van een echtgenoot. Ik vergeleek hem met een paar van de kandidaten die mijn moeder om mijn hand wa-ren komen vragen. Een van hen was vier keer gescheiden en behandelde vrouwen als voorwerpen. Er was ook een isla-mist geweest – wat bezielde een islamist om met mij te wil-len trouwen? De anderen waren niet veel beter. Ik vergeleek Abdel-Rahman met de andere mannen die ik kende, die al-lemaal stukken jonger waren dan hij – journalisten, intellec-tuelen – maar met wie ik onmogelijk zo'n diepe spirituele band kon voelen als met hem. Hij was jonger van geest en veel opener dan de mannen met wie ik omging. Ik besloot dus om over het leeftijdsbezwaar heen te stappen. Ik zei 'ja'.

In Sudan vindt de ondertekening van het contract van het religieuze huwelijk doorgaans plaats enkele maanden vóór het eigenlijke huwelijk, voordat de echtgenoten onder één dak gaan wonen. Wat elders wordt beschouwd als 'verloofd' is bij ons in feite al officieel 'getrouwd'. Abdel-Rahman en ik besloten dat de ondertekening van het contract zou samenvallen met de eigenlijke bruiloft en wel zo snel mogelijk. We waren beiden bekende mensen in Sudan en we wilden er zo weinig mogelijk ruchtbaarheid aan geven; we zouden zijn bedolven onder vragen, kritiek, gelukwensen, roddels, kletspraatjes, aanmoedigingen; zijn leeftijd en zijn vermogen zouden over de tong zijn gegaan, evenals zijn verleden en mijn toekomst. We kozen een datum aan het einde van de ramadan, twee maanden later. Abdel-Rahman had beslist dat de bruiloft op een woensdag, zijn geluksdag, zou zijn en ik vond het best, want waarom niet.

Gedurende die twee maanden gingen we uiteraard nooit samen dineren. Zoiets is ongehoord in Sudan, gewoon ondenkbaar. We zagen elkaar op de redactie, op persbijeenkomsten of officiële diners waarop we allebei waren uitgenodigd. We voerden lange telefoongesprekken, zoals we in de afgelopen vijf jaar gewend waren. Toch lekte het nieuws enkele dagen voor de bruiloft uit; het ging als een lopend vuurtje rond. De huwelijksvoltrekking in de Ali al-Marghani-moskee in Khartoum, die we intiem hadden willen houden, werd een mediaspektakel waarbij journalisten en fotografen elkaar verdrongen. Het werd een wedstrijd tussen voor- en tegenstanders van Lubna; er werden reportages en commentaren gepubliceerd. Eén krant meende zelfs te weten hoeveel geld er voorafgaande aan het huwelijk was overgemaakt: de *mahr*, die de man zijn bruid moet geven en die vastgelegd wordt in het huwelijkscontract. Het gaf, kortom, zo'n opschudding dat een politicus die dezelfde dag net was afgetreden, spottend zei tegen journalisten die hem achtervolgden: 'Wat kan jullie mijn aftreden schelen? Ga Lubna uitvragen over haar huwelijk, dat is veel interessanter!'

Natuurlijk was de leeftijdskwestie het onderwerp van alle gesprekken. De leeftijd van de bruidegom, maar ook die van de bruid, want ik was toen dertig en dat is voor Sudanese begrippen al heel oud. Mijn man was beroemd, hij was geslaagd; hij had gemakkelijk een bruidje van achttien of twintig kunnen krijgen en dat zou niet zo'n deining hebben veroorzaakt. Een vriend van mijn man, een Arabische emir, had hem trouwens toen hij het nieuws hoorde opgebeld en verbaasd gevraagd: 'Is ze al dertig? Maar waarom heb je zo'n oude vrouw genomen?'

Abdel-Rahman en ik hebben er samen veel om gelachen. Een maand lang is er in Sudan over ons huwelijk gepalaverd, wat me een voorproefje op kleine schaal bezorgde van wat een paar jaar later de affaire van mijn pantalon zou worden. Uiteindelijk schreef ik er een stuk over: 'Ik heb geen minister van Gezondheidszaken en geen prefect van Khartoum gekozen, maar een echtgenoot. U hebt het volste recht en zelfs de plicht commentaar te leveren op mijn keuze voor een minister of een prefect, want dat zou ook gevolgen hebben gehad voor uw leven. Maar wat kan het u schelen met wie ik trouw?'

We vestigden ons in Khartoum, in de woning van Abdel-Rahman, een groot huis met een losstaand paviljoen ernaast voor het huispersoneel, zeven mensen, onder wie een wasbaas en een chauffeur. Mijn man ontving vaak, meestal 's avonds, en hij had een hechte relatie gekregen met de kok, die hem al jaren overal volgde en die ook voor ober speelde. Die man kende intussen alle zeden en gewoonten van de verschillende landen waaruit de gasten afkomstig waren. Hij wist dat Sudanezen en Saudiërs het liefst een grote schaal met rijst en vlees hadden, die midden op tafel stond en waaruit iedereen met de hand at. Voor Aziaten mocht hij kwistig zijn met kruiden, maar als er Europeanen waren moest hij Europees koken en een uitgebreid diner op tafel zetten. Hij was ook een meester-patissier. Daarentegen aten we 's middags doorgaans alleen, om 15.00 uur stipt, zoals Abdel-Rahman het graag had. Het was ons moment om te ontspannen en van gedachten te wisselen, dat we nog rekten onder het genot van een geurige thee op de veranda of in de tuin. Ons leven samen was uiterst geregeld, heel anders dan het leven in de grote rumoerige Sudanese gezinnen.

Ik werkte in de grote studeerkamer van mijn man, op de eerste etage. Ik had er mijn computer staan en ik hervatte al vrij snel mijn wekelijkse columns voor de krant. Ik heb nooit tegen nietsdoen gekund en ik wist dat Abdel-Rahman het leuk vond om me bezig te zien. Ik bezocht ook nog regelmatig het witte gebouwtje waarin de redactie huisde, maar de relatie met mijn collega's was veranderd: ik was nu de vrouw van de baas. Voor mij bleven ze collega's. Ik leerde berusten in het feit dat er tussen ons een muur was opgetrokken: ze namen me niet meer in vertrouwen, ze gedroegen zich bespottelijk vormelijk. Ik voelde me helemaal niet op mijn gemak als ze zo eerbiedig deden. Ik was steeds minder vaak in het kantoortje dat ik deelde met twee andere journalisten en ik werkte voornamelijk thuis, wat niets afdeed aan mijn tempo en mijn stiptheid.

Abdel-Rahman en ik hadden besloten om onze huwelijksreis naar Londen uit te stellen tot het beter weer zou worden. Hij was bang dat ik niet tegen de koude Engelse winter zou kunnen, maar hij wilde me vooral zijn tweede vaderland tonen wanneer het op z'n mooist was: in de lente, een seizoen dat we in Sudan niet kennen. De reis naar Azië die we in de tussentijd hadden willen maken ging niet door vanwege de net uitgebroken vogelpestepidemie. Om naar Londen te komen waren we verplicht een tussenstop te maken – sinds 1996 waren er vanwege het luchtembargo op Sudan geen internationale vluchten mogelijk vanuit Khartoum. Wij reisden via Abu Dhabi waar familie van mijn man woonde. We waren in december 2003 getrouwd en we vertrokken drie maanden later, in maart, uit Khartoum.

We waren van plan geweest om drie dagen in Abu Dhabi te blijven, maar onze tussenstop is veel langer uitgevallen. We kregen er een fantastisch onthaal: we werden uitgenodigd in literaire clubs en we gaven twee lezingen over de situatie van de pers in Sudan, er werden recepties voor ons gehouden door zijn familie, door zijn vrienden, door journalisten en schrijvers. Bij die gelegenheden greep Abdel-Rahman vaak de microfoon om een lied ten gehore te brengen. Hij was onvermoeibaar! Als ik hem dan zo bezig zag wist ik zeker dat hij de juiste man voor me was. Op de achttiende dag – we zouden bijna doorreizen naar Londen – werd mijn man niet goed. Er kwam een dokter, en toen nog een tweede. Zijn neven weken niet van mijn zijde. Hij werd naar het ziekenhuis gebracht omdat zijn nieren niet meer werkten. De eerste drie dagen was Abdel-Rahman nog bij bewustzijn. Daarna gleed hij langzaam in een coma, terwijl ik de cijfers en de grafieken leerde lezen op de schermen van de apparaten waaraan hij op de intensive care gekoppeld was.

Ik durfde hem geen moment alleen te laten. Ik had een akelig voorgevoel en ik was helemaal geobsedeerd door het idee dat hij zou kunnen sterven zonder te worden bijgestaan met de rituelen van de moslimtraditie. Op een Egyptische en een Somalische na, waren er geen moslimverpleegkundigen die de shahada voor hem hadden kunnen opzeggen, de islamitische geloofsbelijdenis die een gelovige tot op de drempel van het hiernamaals moet brengen. Na enkele dagen vroeg ik mijn moeder of ze naar Abu Dhabi wilde komen. Ik verliet het hotel, want we hadden vlak bij het ziekenhuis een flat gehuurd. We wisselden elkaar nu af aan het ziekbed van mijn man.

Ik had voor de reis twee soorten outfits ingepakt die hoorden bij een huwelijksreis: geklede *thobs* voor de avonden, pantalons en jeans voor andere gelegenheden. Mijn man werd ziek toen we op het punt stonden om uit te gaan en ik had een van de chique thobs aan die ik bij me had voor deftige gelegenheden. Ik was dus in avondkleding met hem meegegaan naar het ziekenhuis en ik was in avondkleding bij hem gebleven. Wat had ik gedaan! Het nieuws drong zelfs door tot in Khartoum: 'Haar man ligt in het ziekenhuis en Lubna loopt rond in feestkledij.' Abdel-Rahman raakte geleidelijk aan in coma toen ik besloot terug te gaan naar ons hotel, een douche te nemen en me te verkleden. Ik kwam terug in het ziekenhuis in gemakkelijke jeans. Weer was er een storm van protest: 'Haar man ligt in het ziekenhuis en Lubna loopt rond in jeans.' De Sudanese gemeenschap leek voornamelijk geïnteresseerd in mijn kledij, terwijl ik alleen maar aandacht had voor alle knipperende toestellen in de ziekenhuiskamer. Om een einde te maken aan dat vermoeiende geroddel ging ik, zodra mijn moeder in Abu Dhabi was gearriveerd, naar een winkelcentrum om een voorraad *abbayas* in te slaan: van die lange, wijde gewaden die alles verhullen en waarin je ongehinderd kunt rondlopen. En zelfs dat heb ik moeten horen: 'Haar man ligt op het randje van de dood en Lubna gaat gezellig shoppen in Abu Dhabi.'

Die ervaring deed me onweerstaanbaar denken aan Geha, zijn zoon en de ezel. Geha, een heel populaire figuur uit de Arabische volksvertellingen, reed samen met zijn zoon op een ezel. 'Hoe durf je die arme ezel zo zwaar te belasten, Geha!' zeiden de voorbijgangers. Geha liet zijn zoon alleen op de ezel zitten en ging zelf lopen. 'Arme Geha! Zoon, hoe durf je je vader te laten lopen terwijl je zelf lekker zit?' zeiden de voorbijgangers. De zoon besloot dus zijn plaats af te staan aan zijn vader. 'Geha, waarom laat je je zoon lopen terwijl je zelf op de ezel zit?' vroegen de voorbijgangers. Geha en zijn zoon besloten uiteindelijk met zijn tweeën de ezel te gaan dragen. 'Wat een ezels,' zeiden de voorbijgangers. Ik begreep dat je onmogelijk iedereen tevreden kunt stellen en dat ik het trouwens ook helemaal niet hoefde te doen. Het was een les voor me en op dat moment heb ik besloten om mijn eigen leven te leiden. Zonder onze tradities geweld aan te doen, maar ook zonder me erdoor te laten knechten. Om mijn eigen koers te varen tussen gebruiken, wetten en godsdienst door. Dat is lang niet altijd even gemakkelijk.

Ondanks alle medische verzorging en ondanks de nierdialyse verbeterde de toestand van Abdel-Rahman niet. Hij kwam niet meer bij bewustzijn; hij lag aan katheters en slangen gekoppeld, zijn borst zat vol elektrodes en hij was aangesloten op schermen. Die sterke man lag nu machteloos op een anoniem ziekenhuisbed. Toch verloor ik de moed niet; een Sudanese patiënt was net bijgekomen uit een coma van drie maanden en ik hoopte dat mijn man ook zou herstellen. Ik bleef tegen hem praten, ik vertelde hem over de drie gelukkige maanden die we samen hadden beleefd. Ik was in tranen en mijn stem begaf het bijna, maar ik bleef praten, praten.

Ik had nog nooit iemand zien sterven en ik viel bijna flauw toen een Jordanese patiënt overleed waar ik bij was. Ik kon er al een beetje beter tegen toen ik een andere patiënt, een Aziaat, zag doodgaan. Toch ging ik naar de vrouwen-moskee van het ziekenhuis om aan de Palestijnse die deze moskee leidde te vragen me in te wijden in de rituelen van de dood. Ze leerde me de shahada opzeggen, waarbij je de wijsvinger vasthoudt van degene die stervende is. Ze heeft me uitgelegd op welk moment je iemand de ogen moet slui-ten en hoe je het gezicht van de overledene moet wassen voordat je het bedekt met een witte doek. Ik leerde deze han-delingen al biddend dat ik ze niet zou hoeven uitvoeren. Ik bleef geloven dat we onze huwelijksreis zouden kunnen voortzetten. Ik ging weer naar de kamer van Abdel-Rahman, ik hield zijn hand vast, ik beloofde hem dat we samen naar Londen zouden gaan. Ik smeekte mijn man om terug te ko-men, ik bad tot Allah om hem wakker te laten worden. On-der zijn hoofdkussen legde ik zijn taperecordertje met opna-men van Koranverzen, opgezegd door zijn favoriete voorlezer. De cassettes had hij altijd bij zich en ze vergezelden hem ook op onze huwelijksreis. Ik zag zijn gezicht erdoor ontspannen.

De dochter van een Jemenitische patiënte die net was te-ruggekeerd uit Mekka deed me een flesje Zamzam-water ca-deau: water uit de heilige bron vlak naast de Ka'aba, de zwar-te steen waar de pelgrims omheen lopen. We waren toen al enkele weken in het ziekenhuis, maar hoeveel dagen precies had ik niet bijgehouden. Ik depte het gezicht van mijn man met dat heilige water, totdat een verpleegkundige het me verbood; op de intensivecareafdeling mocht alleen maar gesteriliseerd water worden gebruikt. Ik gehoorzaamde, zette het flesje op de vensterbank en vergat het vervolgens.

Na tweeënvijftig dagen opende Abdel-Rahman zijn ogen. Hij zei niets, maar hij bewoog heel lichtjes zijn hoofd als ik tegen hem sprak. Ik glimlachte naar hem en zijn ogen glimlachten terug. Het was op een woensdag, wat hij de prettigste dag van de week vond, de dag die hij ook had uitgekozen voor ons huwelijk. Die woensdag sloegen alle apparaten waarmee hij verbonden was op hol. Zijn ogen waren geopend, maar ik voelde dat het einde nabij was. Hij zweette bovenmatig. De fles met gesteriliseerd water die altijd op zijn nachtkastje stond, was op mysterieuze wijze verdwenen. Ik dacht aan het flesje met Zamzam-water. Het stond nog in de vensterbank waar ik het had neergezet. Ik gebruikte het om zijn gezicht te wassen, terwijl ik in gedachten de Indiase verpleegkundige zegende die met haar vermaningen had voorkomen dat ik het al zou hebben opgebruikt. Ik nam mijn man in mijn armen en dacht terug aan zijn opmerkelijke uitspraak toen we een keer onder de sterrenhemel in onze tuin in Khartoum zaten: 'Mijn liefste wens is te sterven in de armen van iemand die me lief is en die de shahada voor me opzegt.'

Ik heb zijn wijsvinger vastgepakt en ik heb de shahada voor hem gezegd. Abdel-Rahman is in mijn armen gestorven. Mechanisch heb ik de laatste handelingen verricht. Ik ben pas ingestort nadat de arts zijn overlijden had bevestigd.

Abdel-Rahman werd in Sudan begraven. Ik ben daar niet bij geweest; ik heb me gevoegd naar het gebruik van de 'opsluiting van de weduwe'. Ik ben gedurende vier maanden en tien dagen in ons huis in Khartoum gebleven, helemaal gekleed in het wit, de kleur van de rouw. Maar ik heb niettemin toch enkele inbreuken op dit gebruik gemaakt. Overeen-komstig de traditie had ik in de grootste kamer van het huis een wit bed laten zetten. Daar had ik eigenlijk niet van af mogen komen, behalve om naar het toilet te gaan. Een we-duwe blijft die hele rouwperiode met haar gezicht naar de muur gekeerd zitten; ze maakt geen eten klaar, er wordt voor haar gekookt, ze mag nog geen lade opentrekken, alles wordt voor haar gedaan. Ze verzorgt haar haren niet, ze verzorgt haar lichaam niet. Ze denkt alleen maar aan haar overleden echtgenoot, bidt voor hem en niets mag haar afleiden van haar verdriet. Maar ik heb van alles gedaan. Mijn werkkamer met mijn computer was op de eerste verdieping; ik ben dus naar boven gegaan, ik heb mijn computer aangezet en ik ben gaan surfen langs de nieuwssites; na veertig dagen ben ik mijn rubriek weer gaan schrijven en mailde die dagelijks naar de krant. Als een buurvrouw, een vriendin of een relatie me kwam condoleren ging ik weer op het bed zitten en ze waren altijd onaangenaam verrast als ze me naar beneden zagen komen. Ik choqueerde ook door televisie te kijken en naar de radio te luisteren. Het deed er niet toe dat ik alleen maar het nieuws volgde, dat ik te verdrietig was om naar een film te kijken of naar muziek te luisteren; mijn dwalingen werden schokkend gevonden. Ik wilde een douche nemen en me inzepen; dat ging dus niet door. Mijn naasten hadden geparfumeerde zepen uit huis verwijderd, met andere woor-den: alle zepen. Ik heb ze gesmeekt om een medicinale zeep, die me na lang soebatten werd toegestaan. Later heb ik zulke zeep eens meegebracht voor een vriendin die net haar man verloren had; ze weigerde die te gebruiken op grond van het religieuze verbod en ze beweerde dat de islam weduwen het gebruik van zeep en van haarolie verbiedt. Op mijn aandringen raadpleegde ze een oelema. Die was er heel duidelijk over: de islam verbiedt vrouwen wel parfums, maar absoluut geen oliën en geen zeep.

Ik schikte me vrijwillig naar de traditie, maar ik wilde er toch op wijzen dat het maar een gebruik was, zonder enig verband met religie. Ik heb er een van mijn columns aan gewijd. Ik heb de lezers verteld over de 'opsluiting van de weduwe', vooral stilstaand bij het zwaarwegende verbod op contacten met mannen – behalve met vader, broers en zonen –, zelfs per telefoon en per e-mail, in een wereld die zich had aangepast aan de moderne technologieën. Ik stelde een heel eenvoudige vraag: 'Beantwoordt de opsluiting van weduwen echt aan een gebod van de islam? Verbiedt de islam een weduwe werkelijk om een man te ontmoeten? En op grond van welk principe blijft dat verbod nog van kracht als ze is omringd door familie, door vrienden, door haar naasten?' Ik vroeg aan iedereen die het kon weten me de religieuze grondslag van dat verbod uit te leggen. En waarom betekenden de nieuwigheden van de sharia, die toch blijk geven van een vermogen tot theologische reflectie, altijd achteruitgang op het gebied van de vrouwenrechten?

Ik werd bedolven onder reacties van alle mogelijke aard. Er waren mensen die me alle vrijheden verweten die ik me had veroorloofd tijdens de periode van de opsluiting, bijvoorbeeld dat ik was gaan schrijven. Weer anderen verzekerden me dat mailen niet op de lijst van verboden dingen stond; telefoneren daarentegen weer wél. Ik kreeg ook steunbetuigingen; de belangrijkste bijval was voor mij die van Sadek el-Mahdi, de leider van de conservatieve stroming Al-Ansar – een moslimbeweging maar geen islamistische. Sadek el-Mahdi is de kleinzoon van Mohammed el-Sadek, de historische leider die zichzelf in 1881 tot profeet van Allah had uitgeroepen. Hij was vervolgens in opstand gekomen tegen het Turkse gezag in Sudan en had een onafhankelijke staat uitgeroepen met Omdurman als hoofdstad. Hij stierf in 1885. Veertien jaar later wierpen de Britten zijn staat omver. De vrouw van Ahmed el-Mahdi, een van zijn andere nakomelingen, belde me na het middaggebed. Ze was zelf ook journaliste. Ze kondigde aan dat ze me samen met haar man kwam condoleren om op die manier openlijk dat verbod te doorbreken, dat niets te maken heeft met de godsdienst. Mijn moeder jammerde: 'Denk toch aan de gevolgen van weer zo'n mediacircus! Is er nu niet al genoeg gezegd en geschreven over je huwelijk?'

Mijn bedoeling was helemaal niet om de schijnwerpers op mezelf te richten, maar om een nieuw licht werpen op het waarom van zo'n traditie. Het staat iedereen vrij om een traditie te respecteren of te verwerpen, maar we moeten het beestje wel bij zijn naam noemen. Het gaat hier om de traditie en niet om de godsdienst. Men wees me ook op het vermeende profijt dat de weduwe en haar overleden man ervan hebben – persoonlijk geloof ik eerder dat alleen het gebed heilzaam is voor de overledene en wat dat betreft hoop ik dat ik mijn plicht heb gedaan. Gedurende mijn 'opsluiting' en tijdens die tweeënvijftig dagen dat Abdel-Rahman in het ziekenhuis lag.

Ahmed el-Mahdi kwam. Hij verzekerde me dat het gebod niets te maken had met de islam en in geen enkel opzicht een religieuze plicht was. De minister van Religieuze Aangelegenheden is me ook komen opzoeken. Ik ontving hem in aanwezigheid van de broer van mijn man en zijn zoon en daarmee doorbrak ik nog een taboe. Ook de minister, die nota bene lid is van de Moslimbroederschap, bevestigde mijn stelling. Een weduwe, voegde hij er nog aan toe, kan zelfs de opsluiting onderbreken om weer te gaan werken als ze geen andere keuze heeft. Ik heb in mijn rubriek onmiddellijk gemeld wat die twee bezoekers me gezegd hadden. Dat kwam me natuurlijk meteen weer op kritiek te staan, die net als de voorgaande niet altijd afkomstig was uit godsdienstige kringen, maar eerder van leken voor wie de traditie de pijler onder hun bestaan was. Toch zag ik, om mijn naasten en vooral mijn moeder te sparen, af van het voornemen om mijn 'gevangenis' te verlaten om naar Mekka te gaan voor mijn *oemrah*, de kleine pelgrimage.

En ik telde de dagen af. Omdat in Sudan de traditie van de opsluiting van de weduwe wordt toegeschreven aan de islam, baseerde ik me op de islamitische maankalender, waarop de maanden één of twee dagen minder hebben dan de christelijke kalender, die rekening houdt met de zon. Ik was trouwens niet de enige die aan het tellen was; ik had nog nauwelijks een voet buiten de deur gezet of medelevende buren kwamen me al tegemoet: 'Ga gauw naar binnen, je moet nog drie dagen.'

Ik legde hun uit dat ik me aan de islamitische kalender hield. Waarschijnlijk kon ik ze niet allemaal overtuigen, want sommige buren hadden toch nog enkele waarschuwingen achter de hand: 'Een weduwe die haar huis te vroeg verlaat, zal struikelen over een boom, die de Boom van de Opsluiting heet. En dan zal ze altijd maar moeten blijven lopen...'

Ik heb me niet gestoord aan de dreiging van de boom en ik ben naar buiten gegaan. Ik droeg niet het witte weduwegewaad en ook niet de zwarte thob, die ik overigens wel had klaargelegd. Ik volgde de raad van een naaste medewerkster van mijn man, een ruimdenkende vrouw, en ik koos kleren met gedekte kleuren: trieste tinten zoals beige, kastanje en grijs. Natuurlijk krioelt het in Sudan van de brave zielen die de wijsheid in pacht hebben en die snelden nu allemaal toe om me te vertellen wat ik moest dragen, wat ik niet moest dragen, welke kleuren er waren toegestaan, welke modellen verboden waren. Ik liet ze maar praten en deed zoals altijd mijn eigen zin. De brave zielen gaven het ten slotte op, of ze hadden een ander doelwit gevonden.

Ik was droevig, maar het leven moest doorgaan. Ik begon weer te werken, ik bezocht weer persconferenties en later ook recepties. Ik zag mijn vrienden weer. Ik heb mijn oren gesloten voor het geroddel: 'Lubna heeft de opsluiting verbroken om te gaan feesten.'

Lubna had de opsluiting verbroken in de hoop dat die opsluiting van weduwen spoedig nog slechts een nare herinnering zou zijn in Sudan. Of niet meer dan een oeroude traditie. Ik had het geluk dat ik omringd was door mijn familie, mijn naasten die me op elk uur van de dag en de nacht hebben bijgestaan. Ik had het geluk vanuit mijn 'gevangenis' te kunnen blijven werken en het was mij gegeven de moed op te brengen om het taboe te verbreken. Ik ken vrouwen in de stad die 'gevangenen' zijn en die niemand hebben die hen helpt, die hun boodschappen doet of voor hen kookt. Ik weet van vrouwen die op straat belandden omdat ze thuisbleven. Werkneemsters van commerciële bedrijven die niet zo lang verlof kregen en die verplicht waren om ontslag te nemen; ze waren dus niet alleen hun man kwijt, maar ook nog hun broodwinning. Ambtenaren in overheidsdienst worden tijdens die vier maanden en tien dagen van opsluiting doorbetaald. Ik ken arme huismoeders die werkten als zelfstandige, die liever een van hun kinderen opofferden om toch maar te gehoorzamen aan de traditie. Een jongetje van hooguit twaalf jaar moest in plaats van zijn moeder op straat thee of snoep gaan verkopen om in de rouwperiode voor brood op de plank te zorgen. Toen ik nog een kind was, werd een van onze buurvrouwen door haar baas gedwongen om na anderhalve maand alweer aan het werk te gaan – wat een opschudding had dat veroorzaakt!

Op den duur verstomden de gesprekken en hernam het leven zijn normale loop. Onlangs verloor een vrouw in haar rouwperiode haar vader. Ze had niet naar het ziekenhuis kunnen gaan om afscheid van hem te nemen. Nu onderbrak zij haar opsluiting om hem te gaan bewenen. Ondanks alle kritiek. Heb ik misschien toch iets bereikt?

Ik hoop dat de dag komt dat een weduwe niet langer als een misdadigster zal worden gestraft. Want welk misdrijf heeft ze begaan? Ooit zal de opsluiting van weduwen nog maar een herinnering zijn of een bewuste keuze, net als tegenwoordig de opsluiting van bruiden. De opsluiting van weduwen zal trouwens noodgedwongen in onbruik raken. Ook bruiden werden vroeger opgesloten. In mijn kindertijd was dat nog veertig dagen. Tien jaar geleden was het nog hooguit twee weken en tegenwoordig is het nog veel korter, omdat de meeste werkende vrouwen hun vakantie liever bewaren voor de huwelijksreis. Vroeger zou er schande worden gesproken van een moeder die haar dochter voor haar bruiloft niet had opgesloten, maar het moderne leven heeft de traditie verdrongen. De economische situatie verdrong nog een andere traditie: het leven is zwaar in Sudan, maar weinig huishoudens kunnen rondkomen van slechts één inkomen en daarom werken ook de meeste vrouwen. En ik ben er rotsvast van overtuigd dat vandaag of morgen het gebruik van de opsluiting van weduwen eveneens uit bittere noodzaak zal sneuvelen.

In 1961 ging Abdel-Rahman, die toen net *Al-Sahafa* had opgericht, naar de Verenigde Staten om een zitting van de algemene vergadering van de Verenigde Naties te verslaan. Voor hij vertrok zag hij Ali al-Marghani, de geestelijk leider van het soefigenootschap Marghania waartoe hij behoorde. Deze laatste gaf hem een brief mee voor Martin Luther King, met wie het Abdel-Rahman gelukt was een interview te krijgen. De brief werd natuurlijk aan de geadresseerde overhandigd. In die tijd bestonden in de Verenigde Staten de apartheidswetten nog (ze zouden in 1964 worden afgeschaft); zwarten mochten in het openbaar vervoer niet overal gaan zitten, ze werden niet toegelaten in restaurants en mochten geen blanke scholen bezoeken. Des te surrealistischer was de inhoud van de brief, die Al-Marghani aan mijn man had verteld: hij beloofde dat voor het einde van de twintigste eeuw zwarten in Amerika hoge posten zouden bekleden en dat rond 2010 een zwarte man in het Witte Huis zou komen. Abdel-Rahman heeft dit verhaal verteld en de brief geciteerd in *De gelukkige herfst**, een boek dat hij schreef in de jaren zeventig en dat in 1986 werd gepubliceerd. Bij de verschijning ervan leek de voorspelling van Al-Marghani nog een utopie. Ronald Reagan was op dat moment president van de Verenigde Staten en de 'blanke traditie' leek onwankelbaar.

Met Abdel-Rahman heb ik drie volmaakt gelukkige

---

* *Edition des Imprimeries Al-Bayan*, 1987, p. 34.

maanden beleefd. Ik was zijn gelijke; meer nog dan mijn echtgenoot was hij mijn vriend. Met hem heb ik mijn mens-zijn ontdekt. Mijn vrijheid.

7
Over vrouwen en kleren

In 2007 schreef ik me in voor een hoger diploma journalistiek en ik deed mijn examen aan de universiteit van Khartoum. Ik had evenveel zorg besteed aan mijn kleding als aan de laatste revisie van de examenstof: de minste misstap op kledinggebied kon een kandidate haar diploma kosten. Ik had de Pakistaanse *salwar kameez* gekozen, zo'n wijde pantalon met daaroverheen een knielange tuniek. Ondanks dat mocht ik van de universiteitspolitie de campus niet op: mijn salwar mocht dan wel een pofbroek zijn, maar het bleef een broek. Ik wilde voor geen prijs dat examen missen, dus ik ging voorzichtig de discussie aan met de vrouwelijke functionarissen die onze goede zeden moesten bewaken.

'Mag ik wel gaan bidden in deze kleding?'

Ze overlegden samen en besloten: 'Ja, natuurlijk wel.'

'Als ik dan zo mag bidden, kan ik er ook examens in afleggen.'

De discussie ging op het scherp van de snede. Ik kreeg gelijk, gedeeltelijk vanwege mijn bekendheid en mijn reputatie van goedgebekte journaliste. Ik vind dat die vrouwen intelligenter waren dan de politieman die me twee jaar later in restaurant Oum Kalthoum arresteerde vanwege het dragen van een broek! Andere examenkandidates hadden minder geluk: omwille van een minieme doorschijnendheid van een hoofddoek of een mouw die niet tot over de pols kwam verloren ze een studiejaar, een jaar van hun leven. De pantalon was verboden, zelfs voor vrouwen met een kunstbeen – in dat geval moest ze een verklaring bij zich dragen die was verstrekt door een beëdigde medische commissie. De mannelijke studenten hoefden zich nergens zorgen over te maken. Niemand legde hun een strobreed in de weg als ze kwamen in een kort, strakzittend t-shirt en met gel in hun haar. Voor hen bestonden er geen regels, op hun manier van kleden hoefde de universiteitspolitie niet te letten.

Kleding is een obsessie geworden voor Sudanese vrouwen. Als regenboognatie met 305 verschillende stammen en met de meest uiteenlopende religies is Sudan een fundamenteel multicultureel land. De diversiteit die zijn eigenheid is, werd altijd weerspiegeld in de kledinggewoonten van zijn bewoners en vooral in die van de vrouwen. Tot aan het begin van de twintigste eeuw droegen jonge meisjes in het noorden van het land een simpele *rahab*, een ceintuur waaraan repen leer hingen; toen ik nog een kind was danste op elke bruiloft de bruid in haar rahab. Daarna kwamen het katoen en de weefkunst in zwang en begon iedereen de traditionele thob te dragen, een kleurrijke, lichte, en vaak ook doorschijnende, stof van een meter of vijf die een vrouw om haar lichaam en haar hoofd wikkelt. Aan het begin van de jaren zestig, met de komst van televisie, film en de stortvloed van Egyptische films, gingen veel Sudanese vrouwen de filmsterren nadoen; ze volgden de westerse mode en de jurken werden korter in het tempo dat de Britse ontwerpster Mary Quant er halverwege dat decennium voor dicteerde.

Sommigen van mijn landgenotes wikkelden de thob over hun mini-jurkje, anderen droegen die lange lap helemaal niet meer.

Nog steeds vertonen de mannen en vrouwen van talloze stammen in het zuiden zich zo bloot als op de dag van hun geboorte: ze dragen geen enkel kledingstuk of lendendoekje. De vrouwen van een stam in het oosten bedekken hun hoofd en hun gezicht, op de wijze van de nikab, maar laten hun borsten bloot. Bij een andere stam in dezelfde streek wordt de onderkant van het gezicht bedekt, de bovenkant en ook het haar blijven vrij. Ik kan nog heel wat meer noordelijke stammen opnoemen die bij wijze van verzet blijven vasthouden aan hun voorouderlijke kledinggewoonten.

Hoe kan men ook ineens beslissen om de zogenaamd islamitische sluier zomaar op te leggen aan mensen die al eeuwenlang gewend zijn aan variatie, diversiteit en verscheidenheid? Wel staat het vredesakkoord tussen het Noorden en het Zuiden dat in 2005 werd getekend de bewoners van het Zuiden toe om binnen de administratieve grenzen van hun eigen grondgebied hun eigen gebruiken voort te zetten. Daarbuiten ontziet de sharia van Omar al-Bashir hun niet, ongeacht het geloof dat ze aanhangen.

Heel wat Sudanese vrouwen proberen stil verzet te plegen... door het dragen van een broek. Een nogal pover verzet als men weet dat die pantalons altijd heel wijd zijn en altijd nog worden bedekt door een tuniek die de billen en de bovenkant van de dijen verbergt! Maar ze mogen daarmee geen officiële gebouwen betreden, die worden bewaakt door de hoedsters over onze zeden. Ze mogen ook niet op de universiteitsterreinen komen, waar de bewaaksters helaas ook nog kunnen rekenen op de hulp van geïndoctrineerde studenten, die altijd klaarstaan om toe te zien op de toepassing van de wet en om hun studiegenoten aan te geven. Op straat, in de openbare en zelfs besloten gelegenheden die ze bezoeken, lopen vrouwen het gevaar om voor de rechtbank te worden gesleept en te worden gegeseld. Het merendeel van de 43.000 mensen die, in 2008 en alleen al in de prefectuur Khartoum, werden gearresteerd wegens overtreding van artikel 152 van ons Wetboek van Strafrecht, waren vrouwen met 'aanstootgevende kledij', zoals het zo mooi genoemd wordt. Ook de pantalon valt daaronder. Diezelfde pantalon die verplicht is in een andere islamitische staat, waar ook de sharia wordt toegepast: Iran. Stelt Allah dan verschillende eisen aan zijn volgelingen, afhankelijk van hun nationaliteit? Ik herinner eraan dat in hetzelfde jaar 2008, toen de ordediensten het zo druk hadden met het jagen op vrouwen, het leger van de oppositie erin slaagde om, in enkele uren en op klaarlichte dag, Khartoum binnen te dringen.

Mijn arrestatie was absoluut niet het meest dramatische voorval. Ik heb me niet de woede van mijn hele familie op de hals gehaald, ik heb niet het hoofd hoeven buigen uit schaamte dat ik 'de publieke zedelijkheid' had geschonden. Ik heb me ook niet hoeven verbergen uit angst om twee keer gestraft te worden: eerst door zweep van de beul en daarna door mijn familie. Dat overkomt wel de vrouwen wie na zo'n vonnis door hun man worden verstoten, of wie door hun vader of hun broer de toegang tot het huis wordt ontzegd of wie er juist in worden opgesloten. Mijn moeder, mijn zus, mijn broer en al mijn andere naasten hadden niet alleen begrip voor me, maar ze hebben me ook voor honderd procent gesteund. Bovendien had ik 'het geluk' dat ik gearresteerd werd in een restaurant, een openbare en niet een privégelegenheid, zoals ook vaak voorkomt. De wet geeft de politie die de openbare orde bewaakt het recht en zelfs de plicht om binnen te vallen in privéhuizen; bijvoorbeeld in de buitenhuizen van de inwoners van Khartoum of van Omdurman aan de rand van de stad. Daar richten mensen graag eindeloos durende familiediners aan, waarvoor vanzelfsprekend ook buren en vrienden worden uitgenodigd. Je bent er in nog geen uur, met de auto of met een bus die wordt gehuurd om het opgewekte gezelschap van jong en oud te vervoeren. In nog geen uur heb je het allesdoordringende stof van de stad achter je gelaten en rijd je in het groen, te midden van de dieren. De mensen komen er een dagje de zorgen van de stad vergeten. Totdat de politiecombi's arriveren. En wee de vrouwen die voor dat dagje op het platteland een pantalon hebben aangetrokken of wier omslagdoek niet helemaal goed zit! Ik heb het nog niet eens over vrouwen die de brutaliteit hebben om een sigaret op te steken of die waterpijp roken; de wet verbiedt vrouwen te roken (het verbod geldt niet voor mannen), en de stakkers die op heterdaad zijn betrapt, worden met een ongenadige geseling voor altijd van hun ondeugd genezen.

De politie van openbare zedelijkheid let op het uiterlijk van vrouwen, maar ook op hun gedrag. De publieke ruimte is erop ingericht om dat te vergemakkelijken; in de parken vind je haast geen verborgen plekjes... alleen plekken die zo open zijn dat je er geen beschutting in vindt. In Khartoum werden langs de oevers van de Nijl, de levensader en de bron van onze beschaving, de oude stenen bankjes weggehaald; ze stonden met de rugleuning naar de straat gericht, verliefde stelletjes konden er uitkijkend over de Nijl elkaars hand vasthouden zonder dat ze gezien werden. De nieuwe bankjes

staan net andersom: met de rugleuning naar de rivier en uitkijkend op de straat. Zo kunnen de motorpatrouilles zonder
te stoppen erop toezien dat de gebruikers hun fatsoen wel
houden.

Een fatsoenlijke vrouw, zo luidt hun wet, zou nooit alleen
blijven met een man met wie ze niet is getrouwd, ook al is die
man een bloedverwant met wie ze geen huwelijksband mag
aangaan. Een man en een vrouw alleen, daar zit de duivel
tussen. Het betekent dat alleen onfatsoenlijke vrouwen zonder geleide praten met een vreemdeling. En omdat ze onfatsoenlijk zijn spreekt het vanzelf dat de politie ze oppakt en
ze laat veroordelen. De politie hoeft je niet eens te betrappen
op een onderonsje om te kunnen optreden: een vrouw die
na de normale werktijden uit een kantoorgebouw komt kan
volkomen gewettigd worden opgepakt en naar het ziekenhuis worden gebracht. De ziekenhuizen zijn gewend aan zulke 'patiëntes', vaak vrouwen wier hoofddoek niet goed zit,
die een broek dragen, of die zijn opgepakt om een andere reden die de politie niet eens hoeft te rechtvaardigen. Ze worden meteen doorgestuurd naar een arts die een maagdelijk-
heidstest uitvoert. Als ze maagd zijn worden ze vrijgelaten,
indien er tenminste geen sprake was van heterdaad, en de
strafprocedure wordt vervolgd als er nog een andere beschuldiging tegen hen is – bijvoorbeeld het dragen van een
broek. Een vrouw die volgens het medische onderzoek geen
maagd blijkt te zijn, kan alleen vrijkomen als ze huwelijkspa-
pieren kan overleggen. In afwachting tot haar familie deze
brengt (ik ken maar weinig mensen die met hun huwelijkspa-
pieren op zak rondlopen) wordt ze naar het commissariaat
gebracht. Wee haar die niet getrouwd en geen maagd is! Zo'n
hoer wordt als zodanig behandeld. Ze krijgt honderd slagen

met de zweep van nijlpaardenleer, een boete en soms een maandenlange gevangenisstraf.

Dat betekent niet dat alle Sudanese meisjes brave maagden zijn; een arts uit Khartoum bekende, tijdens zijn proces in de zomer van 2008, dat hij honderden maagdenvliesreconstructies had uitgevoerd. 'Maagdenreparaties' heten die ingrepen in de volksmond. De arts werd niet hiervoor veroordeeld, maar wel voor het feit dat hij door de wet verboden abortussen had uitgevoerd. Maagdenvliesreconstructies worden gelegitimeerd door een fatwa, uit een godsdienstig standpunt dat heel wat vraagtekens oproept. Ik ben geen doctor in de godgeleerdheid en matig me dus geen mening aan over dit onderwerp. Ik stel gewoon een vraag: is deze fatwa niet eerder een legitimering van de hypocrisie?

Zo'n 3500 jaar geleden werd Sudan geregeerd door koninginnen. Zij vaardigden wetten uit en voerden oorlogen. Deze koninginnen hebben hun stempel gedrukt op onze piramides, waaronder de bekende piramide van Amani el-Sheiko. Tegenwoordig zijn er nog maar weinig Sudanezen die niet op een dag met de zedenpolitie te maken krijgen. Iedereen heeft daarover wel een verhaal, ze zijn allemaal even idioot en ik ga ze hier niet allemaal vertellen. Ik vertel alleen wat mijn collega is overkomen die met zijn vrouw en hun zoontje in de auto zat. Ze werden aangehouden om een reden die ik niet ken – en mijn collega blijkbaar ook niet, want hij werd kwaad. Zijn vrouw probeerde hem, in een vreemde taal, te kalmeren. Schoot dat die politieman misschien in het verkeerde keelgat? Ze werden alle drie meegenomen naar het commissariaat en ze moesten daar uitleggen waarom ze samen waren. Waren ze getrouwd? Dat moesten ze dan maar eens bewijzen! Het was al laat en mijn collega, zijn vrouw en hun zoontje hebben op het commissariaat moeten overnachten, in afwachting van hun trouwboekje dat familieleden de volgende ochtend kwamen brengen. Ze werden vrijgelaten zonder een woord van excuus. Niet voor hen en ook niet voor het kind dat nogal erg jong was om al achter de tralies gezeten te hebben.

Niet zo lang geleden vertelde een jong meisje me haar verhaal. Een treurig verhaal. Ze studeerde in Khartoum en ze was een huwelijk aangegaan met een jongen die in de provincie woonde. Ze woonden nog niet samen – tussen de ondertekening van het huwelijkscontract en de bruiloft zitten soms weken, of zelfs een maand. Zoals gebruikelijk is nam de jongeman de uitzet van zijn echtgenote voor zijn rekening; elke maand stuurde hij haar daarvoor geld. Sudanese vrouwen zijn erg op hun uiterlijk gesteld en als ze de traditionele dracht hebben verruild voor de moderne stijl dragen ze het liefst geïmporteerde kleding. Heel wat vrouwen hebben zich op die handel gestort; ze gaan naar Syrië of Turkije en komen terug met koffers vol voor hun klanten – wier smaak en behoeften ze vaak al voor hun vertrek hebben gepeild. De jonge vrouw in kwestie had een paar dingen besteld bij zo'n verkoopster die ze voor haar had meegebracht en een afspraak maakte met haar, en nog andere klanten, op een middag bij haar thuis. In het huis van de verkoopster, stonden overal geopende koffers die uitpuilden van de jurken, blouses, rokken en sjaals. Prachtige spullen, vertelde ze me. Er waren een stuk of acht andere vrouwelijke klanten aanwezig, plus twee mannen, die waarschijnlijk een cadeautje voor hun vrouw, hun zus of hun moeder kwamen uitkiezen. De jonge vrouw had twee vriendinnen bij zich.

Iedereen was bezig rond die koffers, toen de politie van

openbare orde het huis van de verkoopster binnenviel. Haar handeltje werd ongemoeid gelaten, maar ze werd samen met al haar klanten meegenomen naar het commissariaat. Het vonnis werd pijlsnel geveld en, zoals altijd, zonder dat de verdediging de kans kreeg iets te zeggen. De verkoopster werd veroordeeld voor souteneurschap, de vrouwelijke klanten wegens 'neiging tot prostitutie' (een 'misdaad' waarvan zelfs de salafisten nog nooit gehoord hebben!). Ook de mannelijke klanten werden veroordeeld. De jonge vrouw kwam uit een traditionalistisch milieu. Na haar veroordeling werd ze van de universiteit verwijderd en door haar man verstoten. Haar vader kreeg door die lawine van rampen een hartaanval, waaraan hij bezweek. Haar leven was voorgoed kapot.

Ik kan het niet laten nog zo'n verhaal te vertellen: de geschiedenis van een vrouw wier man op zakenreis was en wie een verjaardagsfeestje had gebouwd voor een van haar kinderen, een puber van een jaar of vijftien. Ze had samen met de uitgenodigde jongens en meisjes zijn verjaardagskaarsjes uitgeblazen en had zich teruggetrokken in haar slaapkamer. Daar had ze iets gemakkelijks aangetrokken en ging op bed liggen, waarschijnlijk om te slapen of om een beetje te lezen. Het feestgedruis had intussen de aandacht getrokken van de politie van openbare orde, die de deur van haar slaapkamer forceerde en het arme mens meesleurde zonder haar de tijd te gunnen om zich aan te kleden. Ze kon zich nog net zedig bedekken met haar beddenlaken, dat ze omsloeg als een thob. Ze werd onverwijld berecht, veroordeeld en gevangengezet wegens souteneurschap, omdat onder haar dak jongens en meisjes bij elkaar waren die geen bloedbanden maar enkel vriendschapsbanden met elkaar hadden. Toen haar schoonouders haar kwamen ophalen was ze nog altijd in nachtkledij. Het eerste wat ze vroegen was: 'Waar is de man die bij haar was?' Er was helemaal geen man, alleen maar een boek. Hoe het met haar is afgelopen weet ik niet. Ik hoop dat haar leven niet verwoest is, enkel en alleen omdat ze haar zoon een verjaardagsfeestje met zijn vrienden wilde geven...

De Sudanese wet met betrekking tot de openbare zedelijkheid lijkt misschien heel streng. Hij is voornamelijk heel onrechtvaardig voor vrouwen, maar tamelijk mild voor mannen. Een Koranleraar, die daarnaast ook nog zwemcoach was, werd op heterdaad betrapt toen hij een van zijn leerlingen, een jongetje van ongeveer tien jaar, aan het verkrachten was. Hij werd veroordeeld tot een gevangenisstraf van één maand – dezelfde straf die vrouwen krijgen voor het dragen van een lange broek, als geseling hun tenminste bespaard blijft. Een meisje dat bij een vriend in de auto zat werd gearresteerd. Ze werden allebei naar het commissariaat gebracht, waar de vriend werd ondervraagd en geslagen en zij verkracht door de hele brigade bestaande uit acht agenten. Er werd een klacht ingediend en alle verkrachters werden veroordeeld tot honderd zweepslagen – maar werden ze door hun collega's ook daadwerkelijk gegeseld? Honderd zweepslagen is iets meer dan het dubbele van de dosis die een vrouw krijgt toegediend voor het dragen van een broek. Het meisje in kwestie werd gegeseld, niet omdat ze was verkracht, maar omdat ze was betrapt in een auto met een vriend.

In Sudan zijn vrouwen nog bij lange na niet de gelijken van mannen. De wet en de fatwa's vergroten elke dag de ongelijkheid nog een beetje meer. Ik denk daarbij aan een nieuw soort huwelijkscontract, het zogeheten 'huwelijk met opschorting van rechten', dat een man ontslaat van alle materiële verplichtingen ten opzichte van zijn vrouw; zij blijft bij haar ouders wonen, die instaan voor haar levensonderhoud en de, doorgaans polygame, man kan zijn vrouw bezoeken wanneer hij maar wil. Ze beweren dat de fatwa achter deze formule is gebaseerd op een van de uitspraken van de Profeet in de Hadith, die werd overgeleverd door een van diens gezellen, Abu Huraya. Als dat waar is, waarom worden er dan geen andere hadiths van diezelfde Abu Huraya aangehaald? Hadiths die gaan over een kus of over een streling die helemaal niet bestraft worden? Volgens hen is het sturen van een sms'je al een obscene handeling. Is dat huwelijk 'met opschorting van rechten' soms niet obsceen, gezien de harde werkelijkheid van het leven in de Sudanese maatschappij?

Sudan is het Westen niet. De wet zorgt ervoor dat vrouwen onderdrukt blijven en de samenleving houdt hen onvrij. Trouwen voor je zestiende jaar is verboden, behoudens 'toestemming van de rechter'. Ik ken geen rechter die een vader daarvoor de toestemming onthoudt, zonder natuurlijk de mening van de dochter te vragen – heel vaak vraagt men trouwens niet eens toestemming aan de rechter. Je ziet in de straten dan ook heel veel arme meisjes van een jaar of veertien, vijftien die met een kind op de arm lopen te bedelen.

Een Sudanese vrouw kan niet eens alleenstaand zijn; de wet voorziet daar niet in en de maatschappij is er nog niet klaar voor. Wel wordt de woonruimte in de stad steeds kleiner en zorgt het moderne leven met zijn eisen van comfort voor een voldongen feit: als elk kind een eigen kamer wil en de ouders prijs stellen op hun privacy blijft er weinig ruimte over voor inwonende familie. Toen ik een kind was, en dat is nog niet zo lang geleden, woonden hele families samen onder één dak: grootouders, kinderen en kleinkinderen vormden één groot gezin. Die traditie bestaat weliswaar nog, maar ze begint te slijten, vooral in de grote steden. Een weduwe of gescheiden vrouw kan noodgedwongen alleen wonen, zonder iemand om haar te chaperonneren. Ze wordt dan nog wel steeds afkeurend bekeken, maar niet zo erg meer als vroeger. Ongetrouwde werkende vrouwen durven zelfs soms de stap te zetten om alleen te gaan wonen.

Een paar andere voorzichtige voortekenen en enkele gevallen die ik ken versterken mijn overtuiging dat er verandering op komst is. Ik denk aan de vader die de dag na het huwelijk van zijn dochter werd gebeld door de schoonzoon: 'Je dochter is niet besneden. Of je laat dat onmiddellijk doen, of je neemt haar maar terug.' De vader gaf niet toe aan de chantage: 'Verstoot haar dan maar en breng haar terug.' Verbluft bond de schoonzoon in. Zijn vrouw is bij hem gebleven, met opgeheven hoofd. Zulke vaders zijn niet dik gezaaid; de meeste zouden alles doen om de schande te vermijden van een vroegtijdige scheiding, die de toekomst van hun dochter in gevaar brengt en de hele familie zou compromitteren. 'Beter een slecht huwelijk dan roddels' is nog steeds de regel in Sudan. Die maakt dat een meisje haar studie toch afbrak hoewel haar man bij het opmaken van het huwelijkscontract zei dat ze na hun bruiloft kon doorleren. Diezelfde man zei de dag na de huwelijksvoltrekking botweg dat vrouwen thuis horen te blijven. Het meisje gaf haar studie op, hoewel ze op de universiteit als een briljante leerlinge werd beschouwd. Ze verkoos zich aan haar man te onderwerpen; niet omdat er een wet is die haar dat verplicht, maar onder druk van de traditie: diezelfde traditie die maakt dat vrouwen de ergste gruwelen ondergaan en toch de echtelijke woning niet verlaten. De dag dat zij financieel onafhankelijk zullen zijn, wordt die stap gemakkelijker voor ze.

Onze leiders willen ons doen geloven dat dergelijke gebruiken – of eerder hun sharia – overeenkomstig de wil van Allah zijn. Wat heeft de godsdienst hier in vredesnaam mee te maken? Ik ben moslim en in mijn Koran lees ik dat Allah alle zonden vergeeft, behalve die van het polytheïsme, omdat daardoor een derde partij tussen de gelovige en Hem komt. Maar gedragen onze islamistische regering en onze politie voor openbare orde zich ook niet als een derde partij? Ze doen of zij de enige middelaars zijn tussen Allah en Zijn schepselen en pretenderen dat zij alleen weten wat Allah behaagt en wat Zijn toorn opwekt. Is het om Allah te behagen dat sommige mannen hun baard laten groeien en het stigma van de vromen op hun voorhoofd aanbrengen, waaraan je kunt zien dat ze verschillende keren per dag knielend bidden? Mensen die bidden en hun voorhoofd schminken om hoge posten te krijgen en allerlei voorrechten te behouden aanbidden niet Allah, maar de machthebbers tot wie ze, goed beschouwd, hun gebeden richten. Ze bidden niet uit liefde voor Allah, ze buigen niet voor Allah, ze zijn gewoon bang voor de regering en haar politie. Ze gaan niet naar de staatsmoskeeën om er Allah te ontmoeten, maar minister zus-of-zo of deze of gene hoge functionaris. Is dat geen huichelarij? Is dat niet een vorm van polytheïsme? God zei tegen zijn Profeet: 'Zeg het hun'. Hij zei niet: 'Beveel het hun.' Onze regering, die beslag heeft gelegd op de relatie tussen de mens en God, meent dat ze niets uit te leggen heeft, maar dat ze enkel bevelen hoeft uit te delen. Ik vind dat het niet de taak van een regering is om te zorgen dat alle burgers na hun dood naar het paradijs gaan, maar wel om te waken over hun leven op aarde en scholen en ziekenhuizen te bouwen.

Laten we het dan ook maar eens over de hidjab hebben. Het woord 'hidjab' komt voor in zeven Koranverzen, maar geen enkele keer met betrekking tot kleding van vrouwen, en ook nooit tot gewone vrouwen; één keer in verband met de moeder van een profeet, een andere keer met de vrouwen van de Profeet Mohammed. In vers 53 van soera 33 heeft het woord betrekking op een afscheiding die de vrouwen van de Profeet moet beschermen tegen de blikken van andere mannen. Dit gebruik in het huis van de Profeet gold niet voor de gewone gelovigen. Net zomin als het verbod voor de vrouwen van Mohammed om te hertrouwen, of de aansporing uit hetzelfde vers aan het adres van degenen die aan de tafel van de Profeet aten om niet te kijken wat er op hun bord lag. In vers 17 van soera 19 komt de hidjab voor in verband met de Maagd Maria; niet als sluier, maar als haar afzondering om zich beter te kunnen wijden aan de Aanbidding. In vers 46 van soera 7 scheidt de hidjab de bewoners van het paradijs van die van de hel (niet die op aarde, maar die van het hiernamaals). In vers 45 van soera 17 speelt de hidjab een rol als de afscheiding tussen de Profeet en de niet-gelovigen bij de oplezing van de Koran. In vers 32 van soera 38 is hij de avond waardoor de profeet Salomo de renpaarden niet kon zien. In vers 5 van soera 41 is hij de onwetendheid en de onverschilligheid van de Koeraisjieten ten opzichte van de Profeet. En in vers 51 van soera 42 is hij de scheidswand tussen Allah en de mens die Hem aanroept.

Een vrouw kan gedwongen worden om zich te prostitueren. Kan een vrouw, daarentegen, gedwongen worden om rein en vrij van zonden te leven? Kan men een heel volk onder dwang van fatwa's verplichten om zondevrij te leven? Allah heeft dat nooit gevraagd, maar onze autoriteiten proberen het al twintig jaar en het resultaat is bepaald niet overtuigend. Ze beweren dat de rechtbanken er zijn om toe te zien op de naleving van de wetten van de sharia. Maar zelfs onze rechtbanken verdraaien de islam onder het mom dat ze het woord van Allah bewaken; Allah heeft nergens gezegd dat de verdediging geen recht van spreken heeft. In rechtbanken wordt dat recht niet erkend; mag ik eraan herinneren dat onze Profeet zelf de verdediging op zich heeft genomen van een zondaar die zijn wandaad had opgebiecht toen hij voor Hem verscheen? Allah heeft ook nergens gezegd dat een vrouw die op een bepaalde manier gekleed gaat moet worden gegeseld. Ik had die vraag aan de orde gesteld in een grote Egyptische krant, *Al-Ahram*, die me geïnterviewd had. Een lezer antwoordde dat voor de islam een vrouw die geparfumeerd haar huis verlaat berecht moet worden als een overspelige vrouw; en dat een vrouw die zich mooi maakt nog erger is dan een overspelige vrouw. En overspel wordt gestraft met steniging. Het zij zo. Waarom wilt u mij dan laten geselen? Heb ik dan niet eerder steniging verdiend omdat ik een pantalon droeg? Temeer omdat ik weduwe ben, wat voor de religieuze wet nog een extra verzwarende omstandigheid is!

Nee, met godsdienst heeft dit allemaal niets te maken. Niet de teksten die zij hebben bedacht, noch de regels voor de openbare zedelijkheid die ze uit die teksten hebben afgeleid zijn de godsdienst. De godsdienst is de relatie tussen de mens en zijn god, waar niemand tussen kan komen. De zuidelijke leider John Garang zei het ooit prachtig toen hij verklaarde dat de staat geen godsdienst kon hebben: 'Mensen,' zei hij, 'hebben een godsdienst en gaan bidden. De staat kan niet naar de kerk of de moskee gaan...'

Ik ben moslim en mijn relatie tot God is mijn zaak. Zelfs het dragen van een hidjab, dat ze verheven hebben tot een zaak van hogere orde, is een zaak tussen God en mij. Ik leef volgens de geboden van Allah en ik respecteer alle godsdiensten. In het Sudan waar ik ben opgegroeid leefden mono- en polytheïsten, volgelingen van Allah, van Jahwe, van de Heilige Koe en van de Zon eeuwenlang vreedzaam naast elkaar. Mijn geloof is een persoonlijke zaak. Het gaat alleen mijn god iets aan, met wie ik het liefst rechtstreeks communiceer.

Wat mijn land betreft blijf ik ervan overtuigd dat het momenteel in een overgangsfase verkeert tussen tradities en een nieuwe leefwijze die uit zichzelf tot stand zal komen; niet onder dwang, maar in overeenstemming met de eisen van het moderne leven. Er zijn samenlevingen voor ons geweest die deze overgang al hebben meegemaakt en na ons zullen er ook nog komen. Dergelijke aanpassingen gebeuren niet zonder slag of stoot en verlopen soms moeizaam. We leven niet meer helemaal zoals vijftig jaar geleden, maar de toekomst is ook nog niet aangebroken. Sudanese vrouwen begonnen net buitenshuis te werken toen ik nog een kind was, maar in elk huis was wel een tante of een grootmoeder die op de kinderen kon passen – het was nog ondenkbaar om ze aan een oppas, een vreemde, toe te vertrouwen. Tegenwoordig werken ook de grootmoeders en zijn er zelfs grootmoeders die zich op een doctoraat voorbereiden. Sudanese vrouwen met kinderen die hun beroep willen blijven uitoefenen (die zijn er niet veel, maar ze zijn er, temeer daar een tweede inkomen meer dan welkom is in een huishouden) vinden het ook niet leuk hen bij een oppas te laten. Maar als er geen andere oplossing is, doen ze het toch. De economische realiteit heeft de ideologie verdrongen.

Dat was trouwens ook het geval aan het begin van de jaren negentig, toen de islamistische regering van Omar al-Bashir het in haar hoofd kreeg om de vrouwen weer naar huis te sturen – behalve vrouwen met een 'erkend' beroep, zoals onderwijzeres of verpleegkundige. De volksvrouwen, de thee- en koffieverkoopsters, hadden gewoon geen andere keuze dan zich daartegen te verzetten en zich sterk te maken om hun kinderen te eten te kunnen geven. Nog steeds worden er elke dag zulke vrouwen gearresteerd, gegeseld en gevangengezet, maar ze blijven zich verzetten. En niet omdat ze ervoor gekozen hebben. Uit pure noodzaak. Om te kunnen eten. Laten we ook niet de heftige tegenstand vergeten van de Sudanese islamisten, in de jaren zestig en uit naam van de godsdienst, tegen de deelname van vrouwen aan het politieke leven. Sindsdien hebben vrouwen het kiesrecht verworven en voor de parlementsverkiezingen van 2010 heeft de islamistische regering 25 procent van de zetels voor hen gereserveerd. 'Daar bestaat geen enkel religieus bezwaar tegen,' heeft de politiek leider van de Sudanese fundamentalistische beweging, Ansar al-Sunna, in al zijn wijsheid verzekerd.

Ben ik een buitenbeentje? Ik ben toch het product van dezelfde samenleving. Maar zijn er geen rebellen nodig om dingen te veranderen? Ik sta open voor de wereld door mijn werk en omdat ik het wil. Veel mannen en vrouwen die mijn opvattingen delen hebben me gesteund, maar velen hebben me ook aangevallen. Ik heb dingen durven doen en ik durf nog steeds te denken dat ik een opening heb geforceerd. Dat heb ik ná mijn proces kunnen constateren. Vier meisjes die waren gearresteerd wegens het dragen van een lange broek tijdens een uitstapje naar het Tutti-eiland in de buurt van Khartoum, besloten om niet te zwijgen; ze hebben het lef gehad om hun naasten uit te nodigen op hun proces en bij hun veroordeling. De rechter sprak hen vrij en ze konden met opgeheven hoofd de rechtbank verlaten, zonder gegeseld te zijn en zonder een boete te hebben betaald. Ik ben er trots op dat ik hen heb aangemoedigd om het gerecht en de maatschappij te trotseren. Want niet Allah, niet Amerika, noch Frankrijk of de internationale gemeenschap kan ons laten veranderen wat we zelf niet willen hervormen. Alleen op eigen kracht kunnen we slagen.

Wat zou er gebeuren als honderd Saudische vrouwen, die in hun land geen auto mogen besturen, dat verbod allemaal tegelijk negeren en achter het stuur gaan zitten, zoals ze dat al deden in Londen en in Beiroet? Als ze in optocht gingen demonstreren in de straten van Djedda of Riad? Zouden ze allemaal gevangen worden gezet? Gegeseld? Ik denk van niet, maar dat doet er niet toe. Uitsluitend en alleen zulke elektroshocks kunnen veranderingen tot stand brengen.

8

Veertig zweepslagen voor het dragen van een lange broek

Ik kwam murw uit het politiecommissariaat waar ik net was ondervraagd door dezelfde man die me in Oum Kalthoum had gearresteerd omdat ik een lange broek droeg. Het was dinsdag; ik was de vrijdagavond daarvoor gearresteerd.

Mijn eerste telefoontje ging naar het VN-kantoor waar ik werkte; ik nam nog een vakantiedag op. Ik was zo vastbesloten dat ik er niet eens over hoefde na te denken. Ik ging meteen door naar een drukkerij. Ik vroeg er een potlood en papier en stelde in één ruk de tekst voor mijn uitnodigingen op:

In naam van God, de Barmhartige Erbarmer,
Algemene uitnodiging
De journaliste Lubna Ahmad al-Hussein ('Erewoord') no-
digt u uit voor het bijwonen van haar proces en haar gese-
ling, uit hoofde van artikel 152 van het Sudanese Wetboek
van Strafrecht van 1991, wegens het kwetsen van het publie-
ke zedelijke gevoel.
Plaats: rechtbank van publieke orde.
Datum: ? juli 2009

Voor alle duidelijkheid zette ik de naam van mijn column tussen aanhalingstekens en een vraagteken op de plaats van de datum, die me nog niet was meegedeeld. Ik vermeldde er ook nog mijn gsm-nummer bij. Ik gaf het papier aan de drukker en bestelde vierhonderd uitnodigingen van de beste kwaliteit, het soort papier dat werd gebruikt voor trouwkaarten. Hij las de tekst door en zei grinnikend: 'Ik geef u nog honderd exemplaren extra voor niets.'

Ik verliet de drukkerij met mijn vijfhonderd kaarten en bijbehorende mooie, sierlijke enveloppen onder de arm. Het was twee uur, ik had nog tijd genoeg om mijn ronde te doen.

Aanvankelijk was ik even van plan geweest om mijn uitnodigingen als sms te versturen, maar ik had het idee meteen weer verworpen: mijn kaarten hadden veel meer smoel dan drie regeltjes op het scherm van een mobieltje. De mogelijkheid van een artikel in de krant kon ik vergeten: de censor zou alles met een pennenstreek schrappen.

Ik begon bij de kranten en enkele publiekstijdschriften – die worden het minst gecontroleerd door de censuur. Mijn aanpak was overal dezelfde: op elke redactie overhandigde ik een uitnodiging aan de directeur, wie ik in drie woorden mijn verhaal vertelde. Een tweede kaart, bestemd voor de journalisten en andere personeelsleden, hing ik op het prikbord tussen de kennisgevingen en andere belangrijke informatie. Daarna bezocht ik de voornaamste ministeries. In lange broek. Lag het aan mijn resolute optreden, mijn onverzettelijkheid of mijn vn-kaart dat ik overal binnenkwam en dat ik me zonder de minste moeite door het veiligheidscordon van agenten van de zedenpolitie heen blufte? Ze hebben misschien gedacht dat ik een hoge regeringsambtenaar was, of de dochter van een van de leiders. Niemand heeft me in elk geval aangehouden. Bij al die ministeries ging ik naar de werkkamer van de desbetreffende minister en liet ik een uitnodiging achter bij zijn kabinetschef. Ik drong door in het paleis van justitie en zelfs in de ambtswoning van de president van de republiek, waar ik twee uitnodigingen bezorgde: één aan Omar al-Bashir, de andere aan zijn persvoorlichter. Overal waar ik mijn op een trouwkaart lijkende uitnodiging overhandigde, las ik stomme verbazing op het gezicht van degene die hem opende en wie ik in kort bestek mijn verhaal vertelde.

Hetzelfde deed ik met de correspondenten van de voornaamste Arabische televisiezenders. Daarna ging ik naar huis en vatte post achter mijn computer voor de tweede fase van mijn actieplan. Ik scande de uitnodiging en ook pagina 200 van het Sudanese Wetboek van Strafrecht met het artikel 152 over de bestraffing van 'handelingen die kwetsend zijn voor de publieke zedelijkheid' en stuurde die naar al mijn relaties. Vervolgens nam ik de auto en zette mijn tournee voort. Op twee redacties werd ik geïnterviewd en gefotografeerd; in dezelfde kleding die ik droeg op de dag van mijn arrestatie. De volgende dag zijn die artikelen natuurlijk gecensureerd. De hoofdredacteur van een van die gecensureerde kranten zei me half spottend dat het eenvoudiger voor hem zou zijn geweest om een foto te plaatsen van Luis Ocampo, de hoofdaanklager van het Internationale Strafhof die enkele maanden daarvoor Omar al-Bashir in staat van beschuldiging had gesteld en die in Sudan uiteraard persona non grata is.

De avond was nog niet voorbij of een heel bekende Sudanese internetsite, sudaneseonline.com, had de zaak al uitgezocht en publiceerde er een eerste artikel over. In krap twee uur tijd werd het duizenden keren aangeklikt; op die manier is mijn verhaal bekend geworden. Meteen publiceerde een Arabisch mensenrechtennetwerk (AHNRI) op zijn website een veroordeling van mijn arrestatie, in het Engels en in het Arabisch.

Ik ging die nacht pas heel laat slapen. En ik werd in alle vroegte alweer gewekt omdat mijn telefoon ging: het was de BBC, de Britse, Arabischtalige radio, die me wilde interviewen. Ik was schrijvend journaliste geweest. Ik was vertrouwd met verschillende manieren van schrijven en van communicatie bedrijven, dat laatste door mijn functie bij de VN. Maar dit was de eerste keer dat ik live op de radio kwam. Sindsdien heb ik het audiovisuele mediawereldje grondig leren kennen; en de geheimen van de duplexverbinding en live-uitzendingen. Ik heb geleerd om mijn centrale boodschap te formuleren in de tijd die me gegeven wordt: twee, vijf of tien minuten. Mijn eerste televisiedebat is nog steeds een nare herinnering voor me; ik zat in de studio in Khartoum met een vertegenwoordiger van de regering die gepokt en gemazeld was in dit soort exercities. Nog voordat de uitzending begon had hij me al zitten uitvragen en opfokken; ik was die dag dan ook niet op mijn best. Het was een les die ik nooit ben vergeten.

Al snel haalde ik bijna dagelijks de pers. Aanvankelijk waren het alleen de Arabische media die zich voor mijn geval interesseerden: ik werd gebeld uit Libanon, Egypte, Quatar en Jordanië. Ik gaf interviews, ik nam deel aan debatten en aan discussieprogramma's. Daarna kwam de westerse pers – mijn eerste interview, simultaan vertaald in het Engels en het Frans – was voor de Franse tv-zender France 24. Tegelijkertijd kwam er een internationale steunbeweging op gang, in de publieke opinie, maar ook onder leiders, ministers, staatshoofden, tot aan de secretaris-generaal van de vn, Ban Ki-moon, toe. Die laatste deed oproepen en ontplooide initiatieven om me bij te staan in mijn strijd voor de Sudanese vrouwen, waaraan mijn persoonlijke geval volstrekt ondergeschikt was.

Ik had oprecht niet gerekend op zo'n overweldigende media-aandacht. De dag van mijn dubbele mediaoffensief, per auto naar de kranten en via internet, gingen mijn stoutste dromen nog niet verder dan een paar Arabische satellietzenders. Wie zou er geïnteresseerd zijn in het idiote verhaal van een Sudanese die was veroordeeld tot veertig zweepslagen omdat ze een lange broek had gedragen? Hoe vreemd het ook moge klinken, ik kan niet anders dan de Sudanese overheid dankbaar zijn. Door hun laksheid of hun gebrek aan belangstelling hebben ze me de tijd gegund om overal mijn verhaal – dat tevens het verhaal is van alle vrouwen van mijn land – te gaan vertellen en in de hele wereld aan de bel te trekken. Toen de Arabische media zich begonnen te roeren, hadden ze me gemakkelijk de pas kunnen afsnijden door snel te regelen wat al spoedig de affaire-Lubna al-Houssein werd. Maar ze staken hun kop in het zand, ze bleven doofstom en ze gaven me de wereld op een zilveren presenteerblaadje.

Want het proces, waarvoor ik de pers, familie, vrienden en onbekenden had uitgenodigd, kwam er maar niet. En wat een stommiteiten beging de overheid intussen! Ik kan ze hier niet eens allemaal opsommen. Er was bijvoorbeeld dat telefoontje van de president van de Sudanese journalistenvereniging, een organisatie die volledig naar het pijpen van politiek leiders danst: 'Lubna, waarom hebt u mij niet meteen gebeld toen ze u arresteerden?'

'Ik had niets liever gewild, maar ik had mijn telefoon niet meer. Vanzelfsprekend heeft de politie me die afgepakt, aangezien ik gearresteerd was,' antwoordde ik even zoet.

'Waarom bent u niet bij mij gekomen met uw verhaal? Nu heb ik het op de radio moeten horen.'

'Ik ben bij jullie geweest, ik heb een van jullie functionarissen gesproken en haar een uitnodiging voor u voor mijn proces overhandigd. Hebt u die dan niet gekregen?'

Zo ging ons schijnheilige pingpongspelletje verder. Hij vroeg of ik het goedvond dat hij mijn zaak ging bepleiten bij de autoriteiten.

'Daar hebt u mijn toestemming niet voor nodig. U bent president van een federatie waar ik lid van ben en u hebt dus alle recht. Maar ik wil absoluut geen voorkeursbehandeling.'

Een paar dagen later belde de man me terug om me een deal voor te stellen: 'Als u schriftelijk belooft om nooit meer een lange broek te dragen, kan ik de aanklacht laten intrekken.'

Dit keer was mijn toon scherper: 'Ik blijf pantalons dragen en ik wil niet dat de aanklacht wordt ingetrokken.'

Vervolgens gingen er geruchten de ronde doen over presidentiële gratie, waarvan ik verder nooit meer iets heb gehoord. Verbaasd vroeg mijn advocaat inzage in mijn dossier. Dat werd hem niet geweigerd, maar toch kreeg hij geen inzage. Mijn dossier was verloren gegaan tussen de verschillende afdelingen, werd hem verteld.

Het was inmiddels half juli geworden en nog steeds wist ik niet wanneer mijn proces zou plaatsvinden. De mensen bleven mij onverminderd steunen. Journalisten van de gemuilkorfde binnenlandse pers haalden de ene gewaagde stunt na de andere uit. Op 14 juli organiseerde de oppositiekrant

Ajrass al-Hurriya, 'De klokken van de vrijheid', een dag van solidariteit en plaatste daar een artikel over dat zo geschreven was dat de censuur er geen kwaad in zag. Vertegenwoordigers van de media, organisaties van burgers, advocaten en politieke oppositiepartijen gaven aan de oproep gehoor, en stelden zich achter de oprichting, die dag, van de alliantie-Nee-tegen-de-Onderdrukking-van-Vrouwen. Ik was in hun midden, diep ontroerd door al die steun, toen ik werd gebeld door de oom van mijn vriendin Hanadi, de man die na mijn arrestatie borg voor me had gestaan; ik moest halsoverkop naar het commissariaat voor een nieuwe ondervraging. Ik vroeg enkele uren uitstel en vertelde de aanwezigen wat er aan de hand was; bijna iedereen besloot met me mee te gaan. Ik had ook nog de tijd om, voor de zoveelste keer, te praten met een Arabische televisiezender.

Voor het commissariaat wachtte ons een treurig schouwspel: een politiebus loosde net een lading theeverkoopsters, het van oudsher zo populaire beroep dat merkwaardigerwijs niet uitgeoefend mag worden. De vrouwen in hun thob klommen een voor een uit de bus, droevig berustend in hun lot: de zweep, een boete, gevangenisstraf of alles tegelijk. Sommige vrouwen drukten hun baby's tegen zich aan; andere maakten zich waarschijnlijk zorgen over hun thuiszittende kinderen wie ze niet konden vertellen wat er gebeurde.

Onze manifestatie werd uiteengedreven onder het mom dat we er geen vergunning voor hadden en ik ging alleen het commissariaat binnen. Ik eiste dat mijn advocaat aanwezig zou zijn.

'Advocaten zijn hier niet toegestaan, u moet alleen maar enkele vragen beantwoorden.'

Een politieagent ondervroeg me nog eens over mijn pantalon. Dezelfde vragen die ik al duizend keer had gehoord. Ineens kwam er een nieuw onderwerp ter tafel: mijn blouse.

'Uw blouse was doorschijnend.'

'Ik droeg er iets onder.'

'Wat droeg u eronder?'

Ik viel haast van mijn stoel van verbazing. In elk ander land zou die vraag worden beschouwd als een ongewenste seksuele intimiteit. In het land van hun sharia natuurlijk weer niet. Ik kreeg nog meer redenen om me te verbazen, aangezien de politieman het in zijn hoofd kreeg om me te laten zeggen dat ik op het moment van mijn arrestatie een waterpijp rookte. Mijn geduld was op: 'Beste man, ik rook geen waterpijp en als ik het wel deed, zou ik ermee op de drempel van mijn voordeur gaan zitten. Ik woon namelijk in de straat die de president neemt als hij van zijn huis naar het presidentiële paleis rijdt. Trouwens, als het roken van de waterpijp verboden is, waarom laten jullie het dan toe in cafés en restaurants? En waarom mogen mannen het wel?'

Op al die vragen kreeg ik uiteraard geen antwoord. Wel zinspeelde de politieman op de mogelijkheid om de zaak 'in de doofpot te stoppen'. Ik had schoon genoeg van zulke gesprekken: 'Als er iemand is die het meer dan ik verdient dat haar zaak "de doofpot" ingaat, is het dat christelijke meisje dat gelijk met mij werd gearresteerd en dat nu al is gegeseld en dat bovendien nog een boete kreeg.'

Bij het weggaan wist ik nog altijd de datum van mijn proces niet. Toen ik opstond zei de politieman dat hij niet begreep dat ik weer diezelfde 'schandalige kledij' aanhad die ik ook op het moment van mijn arrestatie droeg. 'Iemand die is aangehouden kan pas schuldig zijn nadat hij of zij veroordeeld is. Mijn kledij is ook pas schuldig als het vonnis is uitgesproken,' zei ik bij wijze van afscheid.

Diezelfde dag had Omar al-Bashir in Caïro een ontmoeting met de Egyptische president Hosni Moebarak. In de kranten las ik dat ook mijn geval ter sprake was gekomen. Moebarak zou tegen zijn ambtgenoot hebben gezegd dat Sudan zich dit soort publiciteit beter had kunnen besparen en dat trouwens de vrouwen in Egypte wel lange broeken droegen. De mogelijkheid van een presidentiële 'gratie voor mensen die recentelijk waren vervolgd wegens zedelijkheidskwesties' kwam weer ter tafel; een vroegere studiegenoot van me die deel uitmaakte van de *inner circle* van de presidentiële raad en de familie Al-Bashir wist het me te bevestigen. Wat had ik dan misdaan om voor gratie in aanmerking te kunnen komen? Wat is er dan fout met al die duizenden vrouwen die dezelfde 'misstap' hebben begaan en de duizenden die dat nog zullen doen? Met mijn tien zusters in het ongeluk die zo snel waren berecht, veroordeeld en gegeseld? De journalisten kwamen me vragen stellen naar aanleiding van die presidentiële gratie. Ik heb hun verteld dat ik geen gratie hoefde. Enerzijds omdat ik officieel nog maar beklaagde was en niet schuldig was bevonden omdat er nog geen proces was geweest. Anderzijds omdat ik het te belachelijk voor woorden vond dat de president, die ongetwijfeld hard bezig was alle fundamentele problemen op te lossen waaronder het land gebukt ging, zo'n serieuze beslissing nam voor een pantalon. Ik had tenslotte geen wapens gedragen en ik was ook niet beschuldigd van een samenzwering tegen de staat! Ik voegde er nog aan toe dat andere vrouwen, die op dat moment onder vreselijke omstandigheden gevangen zaten, die presidentiële barmhartigheid veel beter konden gebruiken dan ik.

In de dagen daarna beweerden de kranten dat er inderdaad zeker duizend vrouwen waren vrijgelaten uit Sudanese gevangenissen. In dezelfde periode gingen de staatskranten tegen mij tekeer: in eindeloze artikelen werd de wet behandeld en werd ik vogelvrij verklaard. Die perscampagne kreeg zelfs weerklank in de moskeeën.

Op vrijdag 17 juli werd in verschillende moskeeën tegelijk een eerste preek gewijd aan mijn broek of preciezer gezegd aan 'het dragen van een broek door een schaamteloze journaliste'. Ik heb deze preek niet zelf gehoord, maar na het gebedsuur viel het mij op dat er drie mannen voor mijn huis stonden: drie islamisten met warrige baarden en gehuld in de tot de kuiten reikende salafistische witte djellaba. Ze praatten met elkaar en wezen naar mijn huis. Hun gedoe duurde een kwartiertje en toen gingen ze weer weg. Dat ze daar stonden was des te opvallender omdat ik in een kantoorwijk woon, die uitgestorven is op de wekelijkse rustdag vrijdag. Ik zou het echter weer vergeten zijn als ik niet de inhoud van die preek te horen had gekregen. Drie dagen later, op maandag dus, ging ik 's ochtends vroeg boodschappen doen. Toen ik weer thuiskwam stond er een man met een oude motor zonder kenteken in het midden van de straat. Hij keek me strak aan. Ik staarde zwijgend terug. Dat duurde enkele minuten en toen kwam hij in beweging, reed naar me toe en siste: 'Ik ben een bewonderaar.' En weg was hij. Ik begreep die boodschap niet en ik diende dan ook geen klacht in, aangezien ik geen poot had om op te staan. De bewaker van een naburig pand die alles had gezien vertelde me dat hij die man kende, dat hij van de Sudanese politie was.

Veel banger was ik een paar dagen later, toen ik in mijn auto stapte om naar mijn werk voor de vn te gaan. Er kwam een motorrijder op me af die me door het geopende raampje in heel platte bewoordingen toeriep: 'Denk maar aan het lot van Marwa wanneer je voor de rechtbank staat.' Het duurde even voordat ik doorhad dat die dreiging te maken had met wat er gebeurd was met de Egyptische Marwa al-Sherbini, de vrouw die op 1 juli 2009 is doodgestoken in het gerechtsgebouw van Dresden, in Duitsland, waar ze een aanklacht had ingediend wegens racistische beledigingen. De beveiligingsmensen van het VN-kantoor aan wie ik het voorval had verteld brachten me naar het commissariaat, waar ik onder het portret van Omar al-Bashir een aanklacht heb ingediend. De dienstdoende politieman liet natuurlijk niet de kans voorbijgaan om me te wijzen op het feit dat ik de ophef zelf had veroorzaakt. Ik heb nooit meer iets gehoord van die aanklacht, maar vanaf dat moment vermeed ik om meer dan twee nachten achtereen in hetzelfde huis te slapen; ik ging naar mijn moeder, naar vrienden, naar familieleden en vroeg ook mensen om bij mij te komen slapen. Er was mij aangeraden om uit veiligheidsoverwegingen geen ruchtbaarheid aan de zaak te geven. Ik heb die inderdaad ook stilgehouden.

Op 28 juli, om drie uur in de namiddag, ging mijn telefoon. Ik kreeg te horen dat mijn proces de volgende dag om tien uur 's ochtends zou voorkomen, op een rechtbank in het centrum van Khartoum – dat was niet waar zaken van schending van de openbare zedelijkheid doorgaans werden behandeld. Ik had dus nog minder dan negentien uur om me voor te bereiden. De keuze van de rechtbank kwam me prima uit: hij is goed bereikbaar met het openbaar vervoer – iets waar de mensen die hem hadden gekozen vast niet bij hadden stilgestaan. Ik begon per telefoon en per e-mail al mijn contacten op de hoogte te stellen en hun de plaats en het tijdstip door te geven van de afspraak waar we al een maand op zaten te wachten.

Gezien de grote toeloop kan ik gerust zeggen dat ik prima werk had geleverd. Toen ik iets voor het begin van de zitting arriveerde, zat de zaal bomvol en konden heel wat mensen er niet meer in. Er waren ambassadeurs van diverse landen, onder wie ook de afgezant van de Europese Unie, correspondenten van de binnenlandse en de buitenlandse pers, afgevaardigden van de oppositiepartijen, van burgerorganisaties en zelfs van het Verbond van Vrouwen, een organisatie met banden met de regering. De rechter begon met het voorlezen van de aanklacht. Er stond ook een waterpijp uitgestald in de zaal, het vermeende bewijs van de bijkomende misdaad die ik had begaan. Ik was zo vrij eraan te herinneren dat die bewuste avond slechts één vrouw was gearresteerd wegens het roken van de waterpijp en dat zij al was veroordeeld en gegeseld. Hoe kon er dan ineens, een maand later, een tweede schuldige opduiken? Hij ging niet verder op de kwestie in en ik heb niets meer over de waterpijp gehoord.

De advocaat van de vn kwam als eerste aan het woord en wees erop dat ik onschendbaarheid genoot op grond van het akkoord van 2005 tussen Sudan en de Verenigde Naties. De procureur antwoordde dat dit akkoord niet op mij van toepassing was. Dat was even bizar als de opmerking van de minister van Justitie die, even daarvoor in een vraaggesprek met een Arabische tv-zender, glashard had beweerd dat in Sudan vrouwen niet werden gegeseld vanwege hun kleding. Ik stikte van woede over zo veel kwade wil. Ten slotte zette de door mijn steuncomité benoemde advocaat mijn standpunt uiteen: ik wenste hoe dan ook geen immuniteit, of die nu wel of niet op papier stond.

Na deze drie mannen aangehoord te hebben gelastte de rechter een onderbreking van de zitting. Iedereen verliet de zaal, behalve drie hoge politieofficieren die het proces bijwoonden. Ik bleef ze strak aankijken. Ik wist al dat ik aan de winnende hand was: 'De onderbreking geldt ook voor de aanklagende partij. Waarom gaat u niet even weg?'

Ze stonden op en ik volgde hen naar buiten.

Nadat de zitting weer was hervat kondigde de rechter tot ieders stomme verbazing aan dat hij mij wilde horen: 'Wilt u aanspraak maken op uw onschendbaarheid, in welk geval de aanklacht wordt ingetrokken, of wilt u liever dat het proces doorgaat?'

Ik hoefde er niet eens over na te denken: 'Ik respecteer volledig het akkoord tussen Sudan, het land waarvan ik ingezetene ben, en de VN, die mijn werkgever is. Echter, dit akkoord belet dat het gerecht zich over mijn zaak buigt. Ik zal dan ook ontslag nemen, zodat dit proces kan worden voortgezet.'

Ik hoor nog het geroezemoes dat opsteeg in de zaal. Een van mijn supporters riep boven het rumoer uit tegen de rechter: 'Sinds wanneer vraagt een rechter aan een beschuldigde of hij wel wil worden berecht? Er wordt van u verwacht dat u de wet – en niets dan de wet – toepast, ongeacht wat de beklaagde ervan vindt.' De rechter deed of hij niets hoorde. Er werd een nieuwe zitting belegd op 4 augustus.

Voor de uitgang van de rechtbank waren overal de sporen zichtbaar van schermutselingen tussen de politie en de fotografen. Sommigen waren afgerost, anderen opgepakt en de opnames van de incidenten die door getuigen onmiddellijk via internet verspreid waren, bliezen de affaire-Lubna al-Hussein nog extra op. Ik lachte in mijn vuistje: de autoriteiten hadden er beter aan gedaan om rustig enkele ambassadeurs en journalisten in het voorportaal van de rechtbank te laten fotograferen. Maar ik was vooral in de weer om mijn VN-accreditatie terug te krijgen die ik bij wijze van identiteitsbewijs bij de griffier had achtergelaten. Er werd me verteld dat deze ermee aan de haal was gegaan om er een fotokopie van te maken. Raadselachtig genoeg bleef hij maar weg en ik besloot om het gerechtsgebouw dan maar te verlaten zonder mijn accreditatie.

Ik moest dringend naar het VN-kantoor. Zonder eerst naar mijn eigen werkplek te gaan stapte ik binnen bij mijn chef en bood hem mijn ontslag aan. Hij stelde me nog voor om in dienst te blijven en opheffing van mijn onschendbaarheid te vragen.

'Voor mij is dit niet zomaar een proces, maar een gevecht tegen een wet. Ik moet daarvoor vrij kunnen spreken. Om trouw te kunnen blijven aan mijn eigen principes en aan die van de VN ben ik dus wel gedwongen om ontslag te nemen.'

Ik had nog maar één doel voor ogen: dat gevecht. Ik wilde het ontslag onmiddellijk laten ingaan; het werd de volgende dag, toen ik er ook in slaagde om mijn accreditatie terug te krijgen. Ik kon me toen volledig gaan wijden aan mijn gevecht.

De aanwezigheid van ambassadeurs van westerse landen in de rechtszaal veroorzaakte een storm van aanvragen voor interviews. Enkele correspondenten van grote kranten kwamen naar Khartoum om met me te praten. Ik had van restaurant Oum Kalthoum mijn hoofdkwartier gemaakt, waar ik, onder anderen, journalisten van *The Washington Post*, *The Guardian*, *The New York Times* en *The Daily Telegraph* ontving. Ik had om aandacht geschreeuwd in de hoop dat de wereld me zou horen, maar ik had in alle oprechtheid nooit gedacht dat de hele wereld gehoor zou geven. Ik was er boven alle verwachting in geslaagd om de aandacht te vestigen op de Sudanese realiteit. Mijn telefoon rinkelde aan één stuk door, ik wist niet meer of ik China aan de lijn had, of Frankrijk, Italië, Duitsland of Nederland, al die landen waar men vast niet eens Sudan op de kaart kon aanwijzen. Voor de rest bracht ik een groot deel van mijn tijd door in tv-studio's, waar de zenders van Arabische landen en uit andere delen van de wereld me live interviewden. Mijn pagina op Facebook crashte, er werden uit solidariteit twee internetsites, IamLoubna.com en SolidaritywithLoubna.com, gecreëerd. Ik maakte aantekeningen voor mijn verhaal. En ik trof voorbereidingen voor de zitting van 4 augustus, waar ik een enorme happening van wilde maken.

We wisten allemaal dat ook de politie zich voorbereidde. Die vierde augustus viel op een dinsdag, de zitting begon om tien uur in de ochtend. Rond negen uur stonden er al overal vrouwen in de omgeving van de rechtbank. We hadden een teken afgesproken waarop ze zich zouden verzamelen: een joejoe. Hij klonk op het moment dat ik eraan kwam; ineens stond er een woud van borden en spandoeken voor het gebouw. Ik stapte uit de auto en begon ook te joejoe'en, omdat de traditie eist dat je joejoes beantwoordt. Die dag werd er een nieuwe uitdrukking geboren: 'De president danst, de oppositie joejoet'. Het is een knipoog naar de publieke optredens van Omar al-Bashir die, vooral na de aanklacht door het Internationale Strafhof, er een erezaak van maakt om voor televisiecamera's een dansje te maken met zijn wandelstok; dezelfde man die aan het begin van de jaren negentig een wet uitvaardigde die het dansen in Sudan verbood.

Uiteraard kwam de politie in actie: ze dreef de betoging met stokslagen en traangas uiteen en verbood de betogers om in de buurt te komen van het gerechtsgebouw, waar intussen weer het gezelschap van ambassadeurs, journalisten, oppositieleden en burgeractivisten had plaatsgenomen. De zitting werd er snel doorgejast: de rechter liet zich bevestigen dat alle partijen aanwezig waren en las een verklaring voor dat het hof eerst de echtheid van mijn accreditatie bij de VN moest laten vaststellen en dat het ministerie van Buitenlandse Zaken gevraagd zou worden om zich uit te spreken over mijn onschendbaarheid. De volgende zitting zou plaatsvinden op 7 september, midden in de ramadan. Wat een tijdverlies voor de autoriteiten! Wat een tijdwinst voor mij! Bij het naar buiten gaan sprak ik de verzamelde pers toe. Ik bedankte de autoriteiten hartelijk dat ze mij nog eens een maand gaven om mijn mediacampagne voor de rechten van vrouwen in Sudan voort te kunnen zetten.

In de kranten van de volgende dag las ik dat in hetzelfde gerechtsgebouw en op hetzelfde moment waarop mijn proces bezig was, een vrouw was gegeseld. Ze was opgepakt onder het voorwendsel dat haar hoofddoek haar haren niet voldoende bedekte; met een opstandig gebaar had ze hem afgerukt en op de grond gegooid. Ze kreeg een dubbele straf: veertig zweepslagen omdat ze artikel 152 van het Wetboek van Strafrecht had overtreden en nog eens zestig slagen wegens belediging van de islam. Er waren bij haar arrestatie geen getuigen geweest, omdat ze op straat was aangehouden, en ik kende ook haar naam niet. Ik heb getracht haar te vinden, maar dat is niet gelukt. Gegeselde vrouwen blijven zich daar helaas voor schamen. Waarom eigenlijk? Ze hebben niets misdaan, ze zijn nergens schuldig aan. Dat is waar ik alsmaar op hamer en waarop ik zal blijven hameren totdat ze me geloven.

De maand augustus was de maand van het marchanderen. De telefoontjes die ik kreeg van islamistische 'bemiddelaars' en andere regeringsgetrouwen waren afwisselend dreigend en zalvend. In juli hadden dezelfde mensen me nog verzekerd dat de kwestie de doofpot in zou gaan in ruil voor mijn belofte dat ik nooit meer een pantalon zou dragen. Nu gingen die beloften vergezeld van nog maar één voorwaarde: dat ik nu eindelijk mijn mond zou houden. En dan trok ik maar aan wat ik wilde! Ze boden me zelfs in ruil voor mijn stilzwijgen een stuk grond langs de oever van de Nijl aan, waarop ik mijn talenten van landbouwspecialiste zou kunnen botvieren. Natuurlijk heb ik dat geweigerd.

'Ik heb niets van jullie nodig, ik ben nergens bang voor, ik wil gewoon mijn recht. Ik zal niet zwijgen en jullie zullen mijn zaak niet begraven.'

Ze hebben ermee gedreigd om mijn bezittingen en mijn huis in beslag te nemen. Ook ontving mijn moeder dreigementen dat ik binnenkort vermoord zou worden. Ik was gespannen, voortdurend op mijn hoede, ik bleef nooit alleen en nooit lang op één plaats. De politiechef gaf in een interview met een lokale krant de details van mijn arrestatie prijs. Ongehoorde details! Die avond droeg ik, volgens hem, een strakke pantalon en een korte doorkijkblouse en ik was in een restaurant waar een andere vrouw waterpijp rookte. Ik heb niet eens de moeite genomen om die onzin te weerspreken of de man van repliek te dienen. Hoewel de verleiding groot was om hem erop te wijzen dat bij een stam in het noorden van Sudan vrouwen waterpijp roken zoals anderen thee drinken, en dat zelfs in het bijzijn van hun vader.

Die augustusmaand was ook de maand waarin de regeringsgezinde kranten uitpakten met de schitterende successen van de politie van openbare orde. In een café in Khartoum werd een aantal jongeren gearresteerd; ze hadden op hun gsm scènes uit de razend populaire Turkse serie *Nour en Mohannad* gedownload, waarin de held en de heldin elkaar een kusje gaven. Hun mobieltjes werden in beslag genomen en ze kregen allemaal veertig zweepslagen. Er werd een wilde jacht geopend op pantalons en doorschijnende sjaals. Het steuncomité dat zich rond mij had gevormd behaalde ook een overwinning. Het was in de tweede helft van augustus, aan het begin van de ramadan. Een dertigtal straatventsters werd opgepakt omdat ze hun etenswaren te koop aanboden op klaarlichte dag, dus tijdens de vastentijd. Misschien waren het christinnen die christelijke klanten hadden. In elk geval was op dat moment niemand in hun buurt die at, maar de politie wilde nergens van weten. Mijn steuncomité protesteerde dat in dure hotels, in de cafés en de restaurants in de grote winkelcentra op dezelfde uren niet alleen eten en drinken werden verkocht, maar zelfs aan de klanten werden geserveerd. Waarom mochten die arme vrouwen niet doen wat die zaken zo openlijk wel mochten doen? De politieprefect gelastte daarop hun vrijlating en liet ze teruggaan naar hun kraampjes. Mijn comité moedigde bovendien vrouwen die waren gearresteerd en al waren veroordeeld aan om hun mond open te doen.

Er werden voortdurend solidariteitsbijeenkomsten georganiseerd. Eén daarvan vond plaats in het hoofdkwartier van de politieke partij SPLM, waarvan de fractieleider, Yasser Arman, zojuist was gemolesteerd. Er werd aangedrongen op zijn aanhouding omdat hij zich solidair met mij had ver-

klaard en de onterechte arrestaties van vrouwen had aangeklaagd. Zijn parlementaire onschendbaarheid kon hem elk
moment worden afgenomen, zo gingen de geruchten. In
mijn toespraak eiste ik een gelijke berechting; mijn onschendbaarheid was al opgeheven door mijn ontslag en ik
had toch niets meer te verliezen, aangezien ik werkloos was.
Die dag waren alle oppositiepartijen op het appèl. Om de
bijeenkomst nog wat meer luister bij te zetten werd er een
brandstapel gemaakt waarop zwepen werden verbrand.

Ik mocht Sudan niet verlaten. Dat werd me verteld op het
vliegveld van Khartoum toen ik het vliegtuig wilde nemen
naar Beiroet, waar ik door een Arabische tv-zender was uitgenodigd om deel te nemen aan een groot debat over de rol
en de plaats van vrouwen in de Arabische wereld. Ik zou
maar tien minuten spreektijd krijgen, maar toch had ik de
uitnodiging aanvaard om – al was het maar voor enkele dagen – te kunnen ontsnappen aan de benauwende sfeer van
de afgelopen twee maanden. Toen ik me meldde bij het loket
voor de uitreisvisa – de verplichte formaliteit voor iedere
reiziger die het land verlaat – hield de beambte mijn paspoort in, twijfelde even en begon zijn computer te raadple-
gen. Hij vroeg: 'Bent u de journaliste Lubna al-Hussein?'

Ik moest mee naar het kantoor van de grenspolitie. Elke
bladzijde van mijn paspoort werd gefotokopieerd en toen
werd me meegedeeld dat ik het Sudanese grondgebied niet
mocht verlaten. Ik eiste een kopie van die verordening; na
oeverloze discussie kreeg ik eindelijk toestemming er een
blik op te slaan. Ze bestond uit drie zinnen, bekroond met
een grove spelfout. Ze was niet ondertekend door een rechter, maar door de chef van de politie van openbare orde; ik
mocht het land niet verlaten omdat ik op grond van artikel 152

van het Wetboek van Strafrecht werd beschuldigd van 'scandaleuze gedragingen'. De tegenpartij van mijn proces verbood me dus te reizen. Wat was er schandaliger, mijn pantalon of deze verordening met die schrijffout die een kind van de basisschool niet eens meer zou maken?

Ik nam mijn paspoort weer in ontvangst, keerde terug naar huis en ging natuurlijk direct het internet op. In Khartoum was het vijf uur in de ochtend en een uur later was de hele wereld gewaarschuwd. De morgen was nog niet goed en wel begonnen of ik had een stuk of tien kranten-, radio- en televisie-interviews gegeven. Aan het einde van de dag, die werd besloten met een optreden van tien minuten op een Arabische zender, had ik in het totaal tien uur media-aandacht gekregen. Mijn advocaat had me intussen laten weten dat een reisverbod alleen maar kan worden opgelegd in het geval van heel zware vergrijpen en dat de verordening ondertekend moet zijn door de rechter of door de minister van Binnenlandse Zaken – nooit door een politiechef. Ik moest eruit afleiden dat het dragen van een lange broek een dermate zwaar vergrijp is dat de wet er niet voor gerespecteerd hoefde te worden. Hoe dan ook, mijn dank gaat nog steeds uit naar degene die deze verordening heeft afgegeven en ondertekend. Hij heeft daarmee de mondiale belangstelling voor mijn geval weer nieuw leven ingeblazen en – via mijn geval – voor de positie van vrouwen in Sudan en de absurditeit van sommige Sudanese wetten.

Op 7 september ging ik weer naar de rechtbank, met in mijn kielzog een grote groep supporters en ook heel wat vrouwen die me op vreedzame wijze hun steun wilden betuigen. Weer waren er ambassadeurs van verschillende westerse landen. De Afrikaanse en Arabische ambassadeurs schitterden weer eens door afwezigheid, hoewel sommige me per telefoon hadden verzekerd van hun sympathie, met het verzoek om tegen de pers niets te zeggen over hun telefoontje.

De rechter opende de zitting met het voorlezen van het antwoord van de minister van Buitenlandse Zaken op de vraag van 4 augustus. De minister bevestigde dat ik geen diplomatieke onschendbaarheid genoot. Ik was inderdaad nooit diplomaat geweest. Mijn immuniteit was van een andere orde en ik dankte die aan het feit dat ik lid was van het plaatselijke vn-personeel. Dat had de rechter uiteraard niet vermeld in zijn vraag en de minister ging daar in zijn antwoord dus ook aan voorbij. Ik heb maar niet gewezen op de onwettelijkheid ervan.

Er werden vervolgens drie getuigen opgeroepen. Alle drie getuigen van de aanklager, alle drie leden van de politie, onder wie de chef van de brigade die me had gearresteerd. Dezelfde man die eerst de ondervragingen in het kader van het onderzoek had geleid en vervolgens het tegenonderzoek, droeg nu de pet van getuige. De drie getuigen spraken elkaar danig tegen wat de snit en de kleur van mijn kleding betreft: volgens de één veel te uitbundig, volgens een tweede appelgroen. Over één punt waren ze het grondig eens: de kleur van mijn ondergoed, dat volgens hen beige was.

'Bijzondere mannen zijn dat. Hebben ze soms een röntgenapparaat in hun hoofd?'

Mijn storende opmerking kwam me te staan op een uitbrander van de rechter. Ik beloofde dat ik verder mijn mond zou houden, maar het bloed kookte in mijn aderen toen ik een getuige hoorde beweren dat ik die avond met een blote buik rondliep.

Ik was best bereid om respect op te brengen voor het hof,

maar op voorwaarde dat het hof zich dat respect waardig zou tonen.

'Ik vind een blote buik heerlijk fris, maar helaas heb ik een paar kilootjes te veel,' zei ik bits.

De rechter deed of hij me niet hoorde en riep de volgende getuige op. Die bleef maar doordrammen over mijn beige ondergoed. Toen de rechter hem vroeg om een voorwerp aan te wijzen dat die kleur had, stak hij zijn vinger uit naar een grijze nietmachine. Mijn advocaat rook zijn kans en wees op een roze overhemd: 'Welke kleur is dat?'

'Turquoise,' antwoordde de getuige.

Het was zo komisch dat ik begon te gieren van het lachen. De rechter gaf me weer op mijn kop en dreigde met sancties als ik niet zweeg. Hij wendde zich weer tot de getuige, die toegaf 'niet alle kleuren' te herkennen, maar slechts 'sommige kleuren', waaronder groen en beige. Weer proestte ik het uit, onder de verbolgen blikken van de rechter.

De andere getuigenissen waren van hetzelfde kaliber. Zo belachelijk dat ze lachwekkend waren. De eerste getuige verklaarde dat hij die avond in Oum Kalthoum mannen en vrouwen samen had zien dansen, dat de wet verbiedt.

'Waarom hebt u dan ook niet de mannen gearresteerd die daar aan het dansen waren?' vroeg mijn advocaat.

'We hadden geen bevel om mannen te arresteren,' antwoordde de getuige schijnheilig.

Ik begon er pret in te krijgen. Mijn advocaat daarentegen stond zich zichtbaar op te winden. Hij verzocht om de aanklacht in te trekken, gezien de tegenstrijdigheden in de getuigenverklaringen. De advocaat van de tegenpartij verzette zich hier uiteraard tegen. De rechter schortte de zitting voor een uur op. We gingen allemaal naar buiten.

Ik was van plan geweest om van dat uur te profiteren en met mijn advocaat te overleggen. Ik wist niet dat tijdens de zitting de politie was opgetreden tegen de vrouwen die voor de rechtbank voor mij stonden te demonstreren. Zevenenveertig vrouwen waren opgepakt en meegenomen naar het commissariaat. Iemand die het had zien gebeuren vertelde me onder welke vernederende omstandigheden ze waren vervoerd, samengepakt in een combi waarvan de chauffeur het leuk vond om hard op te trekken en dan op de rem te gaan staan; sommige vrouwen waren met kneuzingen op het commissariaat aangekomen. Kenden die politiemannen dan de Hadith niet waarin de Profeet, veertien eeuwen geleden, de karavaangeleiders op het hart drukte om vrouwen zo zachtzinnig te vervoeren alsof zij parfumflesjes waren? Andere getuigen wisten me te vertellen dat de politie de vrouwen had willen opsluiten in een extra kleine cel en dat ze zo heftig hadden geprotesteerd dat ze een grotere cel kregen, die ze vaderlandslievende en vrijheidsliederen zingend binnengingen. Ik kreeg er tranen van in mijn ogen.

Het commissariaat lag niet ver van de rechtbank vandaan en ik besloot er tijdens de opschorting van de zitting naartoe te lopen, uiteraard gevolgd door de andere aanwezigen en cameramensen, een groep mensen die onderweg nog aangroeide omdat ook voorbijgangers zich bij onze optocht voegden. Natuurlijk mochten we het commissariaat niet binnen. Ik haalde zo diep mogelijk adem en produceerde de indringendste joejoe die ik ooit heb voorgebracht. De vrouwen in het commissariaat begrepen de boodschap en beantwoordden haar.

We gingen daarna snel weer terug naar de rechtbank en waren net op tijd voor de hervatting van de zitting. Ik verwachtte dat de rechter nu de getuigen van de verdediging naar voren zou roepen. Hij begon echter in een lange monoloog te vertellen dat er in het oude Sudanese wetboek van strafrecht al een soortgelijk artikel 152 had gestaan, dat een dergelijk wetsartikel ook in een hoop andere landen bestond en dat uit hoofde van deze wet de kledij van vrouwen, behoudens handen en hoofd, niets onbedekt mocht laten en dat alle andere kleding aanstootgevend was en bestraft moest worden. Moest ik hem dan echt een lezing geven over de rijke kledingtradities van ons land? Over de rahab van de bruiden, over de tradionele thob die gezien artikel 152 dan ook strafbaar is? Ik gaf het op en zweeg maar liever.

De rechter verklaarde me schuldig aan het feit dat me werd verweten: het dragen van een pantalon.

'Hebt u nog verzachtende omstandigheden aan te voeren?' vroeg hij.

'Wij vragen dat de getuigen van de verdediging worden gehoord,' antwoordde mijn advocaat.

De rechter herhaalde zijn vraag drie keer. Mijn advocaat gaf drie keer hetzelfde antwoord.

Om een einde te maken aan dat debat tussen doofstommen stond ik op: 'Nee, Edelachtbare, ik heb geen enkele verzachtende omstandigheid aan te voeren.'

Nee, ik ben geen christen, noch minderjarig. Ik ben niet afkomstig uit Zuid-Sudan en zelfs al was ik dat wel, dan nog zou ik veroordeeld worden; precies zoals dat zestienjarige meisje dat op dezelfde dag als ik werd gearresteerd en dat al gegeseld was.

Ik werd niet veroordeeld tot zweepslagen, maar tot een boete van 500 Sudanese pond, die als ik weigerde te betalen zou worden omgezet in een gevangenisstraf van een maand.

'Edelachtbare, ik betaal die boete niet. Ik kies voor de gevangenis.'

De vorige dag had ik in mijn huis in Khartoum voor alle leden van mijn steuncomité een iftar georaniseerd, de maaltijd waarmee in de ramadan het vasten even wordt onderbroken. We hadden daarbij alle mogelijke scenario's bekeken en alle mogelijkheden bestudeerd. We hadden unaniem besloten dat indien ik tot een boete veroordeeld zou worden, ik die niet zou betalen.

Ik wachtte tot de rechter de zaal had verlaten en richtte me tot de aanwezigen. Ik was nog aangeslagen door de verklaring van een van de getuigen, de man die staalhard had gelogen dat ik de avond van mijn arrestatie ronduit schunnig gekleed was.

'Gek toch dat vrouwen die veel fatsoenlijker gekleed waren dan ik werden gegeseld én een boete moesten betalen, terwijl ik er met slechts een boete afkom? De wet is al onrechtvaardig, dus doe er nog maar een schepje bovenop en pas hem ook nog onrechtvaardig toe!'

Niemand reageerde. Het antwoord kwam half september in de vorm van nieuwe bedreigingen: 'Verheug je maar niet te vroeg dat je nog niet gegeseld bent. De volgende keer laten we, geen drie, maar vier getuigen zweren dat ze je naakt hebben gezien, samen met een man die heeft kunnen vluchten. Dan zul je gestenigd worden.' Ik nam die dreigementen zeer serieus. Alles is mogelijk in een land waar het gerecht niet toestaat dat een beklaagde zich verdedigt...

9
Terugkeer naar Omdurman

Tussen twee politieagenten in werd ik weggeleid en ik werd opgesloten in een cel naast de rechtszaal waar al twee veroordeelden zaten. Mijn gsm was me niet afgenomen en ik maakte daar dankbaar gebruik van door de stroom van telefoontjes te beantwoorden van vrienden en journalisten, die meestal stomverbaasd waren dat ik opnam.

De eerste vraag die me dan werd gesteld was natuurlijk waarom ik had geweigerd om de boete te betalen. Het antwoord was simpel. Ik vond dat ik geen enkele fout had begaan en dus nergens voor hoefde te boeten. Mijn weigering was tevens een protest omdat het hof niet had willen luisteren naar de getuigen van de verdediging. Dat was overigens gebruikelijk bij dit soort processen; de beklaagden en degenen die hen menen te moeten helpen hebben maar één recht: ze mogen hun mond houden. Wat dat betreft zou het me zelfs gechoqueerd hebben als het bij mij anders was verlopen! Door niet van de gebruikelijke regels af te wijken, door zich niet te laten beïnvloeden door de aanwezigheid van ambassadeurs en vertegenwoordigers van de *civil society*, Sudanese en Arabische mensenrechtenorganisaties, juristen en journalisten van de buitenlandse media, had het hof de realiteit van onze rechtsgang ontmaskerd. En niemand die het proces had bijgewoond was dat ontgaan.

Voor de zoveelste keer bedankte ik de autoriteiten uitvoerig. Ik bedankte het hof dat het me precies zo behandeld had als alle andere vrouwen die in de loop van de laatste twintig jaar op dezelfde gronden waren aangeklaagd. Ik bedankte de rechters dat ze de wereld hadden wakker geschud en ook voor hun waarschuwing aan de Sudanezen zelf die doorgaans niet weten hoe dit soort processen verloopt. Hoeveel gezinnen waren er al uiteengevallen, hoeveel vrouwen waren er verstoten omdat ze ooit voor de rechtbank van publieke orde waren gedaagd! Alle mannen die naar me had willen luisteren, konden nu weten dat hun vrouwen, hun zusters, hun dochters geen schuldigen zijn, maar onschuldige slachtoffers.

Ik werd uit de cel gehaald en samen met mijn lotgenoten, twee zakenvrouwen uit Khartoum, in een politiebusje geduwd. De andere twee vrouwen vonden het heel komisch dat ik de uren dat we waren opgesloten zo druk bezig was geweest. Terwijl we wegreden van de rechtbank, vertelden ze me hun verhaal. Ze waren allebei veroordeeld voor het uitschrijven van ongedekte cheques. De Sudanese wet kent in die gevallen geen pardon: de schuldigen, ongeacht of het mannen of vrouwen zijn, worden gevangengezet totdat het bedrag in kwestie tot de laatste cent is terugbetaald, of het nu enkele dagen of tien jaar duurt. Door de voorschrijdende devaluatie van het Sudanese pond zien de eisers hun bankrekening na enkele jaren aangevuld met een bedrag met vele nullen dat intussen niets meer waard is.

Hoewel we maar met drie waren, stond er een heel bataljon agenten klaar om ons weg te brengen. Op de dag van mijn arrestatie had ik een lange groene sjaal gebruikt als hoofddoek. Diezelfde sjaal, die ik daarna was blijven dragen bij de meeste van mijn verschijningen in het openbaar en vooral op mijn proces, was inmiddels beroemd geworden. Op de lange rit van Khartoum naar Omdurman was hij een ongewild een herkenningsteken. In de verkeersopstoppingen konden voetgangers en automobilisten zien dat ik dat busje zat. Ze zwaaiden naar me en maakten het v-teken van de overwinning. Het gaf me een onbeschrijflijk gevoel van voldoening. De zekerheid dat ik de eerste, en ongetwijfeld de zwaarste, slag had gewonnen deed me mijn eigen lot vergeten. Al die mannen en vrouwen die bleven staan om me te groeten, al die onbekenden die mij hun steun betuigden, groetten en steunden daarmee alle vrouwen die waren veroordeeld voor wat in Sudan zo pompeus 'schennis van de openbare eerbaarheid' heet.

Om vijf uur stopte het busje voor de grote poort van de vrouwengevangenis van Omdurman. Wat had ik een energie verspild toen ik nog werkte voor *Al-Sahafa* en vergeefs had geprobeerd om hier te worden toegelaten voor een reportage! Keer op keer werd me de toegang geweigerd; nu zou mijn journalistieke nieuwsgierigheid dan eindelijk worden bevredigd dankzij een pantalon als belachelijke vrijgeleide. We moesten uit het busje komen; we kregen geen handboeien om. De politieagenten droegen ons over aan de cipiers.

De gevangenis van Omdurman lijkt niet op een echte strafinrichting. Gebouwd tijdens de revolutie van de Mahdi, aan het einde van de negentiende eeuw, had ze nog altijd haar zware muren, die niet heel hoog zijn, maar zeker dikker dan de muren van andere gevangenissen. Ze zag er nog net zo uit als vroeger; slechts een paar gebouwen van maar één verdieping hoog waren toegevoegd aan de historische onderbouw. De gebouwen staan rond een heel grote binnenplaats. Uiterst links bevinden zich de kantoren en recht tegenover de poort ligt een dertigtal cellen voor gedetineerden. Aan de rechterkant is een derde van de binnenplaats overdekt, dat is de *hoch*, die ik spoedig zo goed zou leren kennen.

De zware poort was nog maar nauwelijks met een doffe dreun achter ons dichtgevallen of de vrouwelijke agenten begonnen al onze gegevens in te vullen. Het was afschuwelijk heet op het einde van deze vastendag. We hadden alle drie een uitgedroogde mond en een huid die ruw was van het woestijnzand. Ik moest een hele tijd wachten voordat ik aan de beurt was. Ik zag een houten stoel, waar ik op ging zitten om nog een paar telefoontjes te plegen. Een van de bewaaksters kreeg me in het oog: 'Hé, jij daar, in je lange broek!'

Ik deed net of ik niet begreep dat ze het tegen mij had. Maar ik was de enige gevangene in pantalon (de 'islamitische' pantalon van de bewaaksters is bedekt door een tuniek die tot op de enkels hangt) en mijn spelletje begon haar de keel uit te hangen. Ze herhaalde, nog luider nu: 'Hé, jij, die net doet of je me niet hoort, jij, op die stoel! Je bent een gevangene, dus waarom zit je? Sta op!'

Ik draaide me tergend langzaam naar haar om: 'Ja?'

Woedend beval ze me om een emmer te pakken en onmiddellijk de septic tank even verderop te gaan legen. Ik bleef lekker zitten.

'Heb je me gehoord?' brulde ze in mijn oor.

Razend van woede beval ze me nog eens om de septic tank te gaan leegscheppen. Nu werd ik kwaad: 'Luister even goed naar me. Ik ben veroordeeld tot een gevangenisstraf, niet tot dwangarbeid.'

'Aha, ik merk dat je nog niet weet wie we zijn,' antwoordde ze in een poging tot sarcasme.

'Nog niet, maar ik ben naar de gevangenis gekomen om kennis met jullie te maken,' zei ik op dezelfde toon.

'Mooi zo, ik zal je wel te grazen weten te nemen.'

Nu moesten mijn gegevens worden ingevuld. Ik beantwoordde de eerste vragen: naam, leeftijd, adres en gaf enkele gegevens van mijn familieleden. Vervolgens ging het over de stam waar ik bij hoorde. Ik antwoordde zoals ik dan altijd doe: 'Sudanese.'

De bewaaksters zette door en ik ook. Ik vroeg het formulier te mogen zien dat ze aan het invullen was; er stond alleen een vakje 'nationaliteit' op. Ik wist best dat op officiële formulieren vermelding van de stam hierdoor is vervangen, maar de oude gewoonte was hardnekkig.

'Mijn stam wordt helemaal niet gevraagd,' vertelde ik haar.

'We hebben het bevel om het toch te noteren,' zei ze me. Niettemin weigerde ik op deze vraag te antwoorden en wilde ik me strikt houden aan de officiële vragenlijst. Het was al laat, de zon zou spoedig ondergaan en dan mocht er gegeten worden. Ze zuchtte, maar drong niet verder aan.

Na de ondervraging werden we gefouilleerd – op de binnenplaats, zonder enige privacy. Mijn twee lotgenoten waren me al voorgegaan. De bewaaksters hadden er dikke pret in gehad ze te vernederen door hun handtassen overhoop te halen en ze te bespotten.

'Wat moet je in de gevangenis met lippenstift?' vroegen ze een van de vrouwen voordat ze haar lippenstift en een tube met vochtinbrengende crème op de grond gooiden en kapot trapten.

Ik zou al snel ontdekken dat de gevangenen alle mogelijke handeltjes drijven, vermoedelijk met medeweten van diezelfde bewaaksters, en dat je in de gevangenis heel gemakkelijk aan alles kunt komen wat je nodig hebt: van thee tot zeep, maar ook lippenstift, ogenzwart, kussens en kleding. Ik werd gefouilleerd tot aan mijn haarwortels en tot achter mijn oren. Mijn tas, met daarin een opschrijfboekje, een potlood, een beetje geld en mijn bankpas kreeg ik terug; mijn gsm was natuurlijk in beslag genomen.

Ik was benieuwd naar mijn straf en ik zou het snel te weten komen. In theorie worden kortgestrafte gevangenen naar de collectieve hoch gebracht waar zevenhonderd gedetineerden zo goed en zo kwaad als het gaat proberen samen te leven. Degenen met straffen langer dan twee jaar krijgen een cel. In de praktijk gaat dat helemaal niet zo; de gedetineerden worden geselecteerd naar huidskleur en 'ras'. We zijn allemaal zwarten, maar alleen de allerzwartsten komen terecht in de hoch. Aangezien ik eerder koffiekleurig ben zou ik volgens die afschuwelijke logica hebben moeten genieten van het comfort van een cel. Toch werd ik naar de hoch verwezen door de bewaakster die de selectie maakte en die zelf een ebben huid had. Het versterkte enkel nog maar mijn afschuw en mijn diepe walging voor wat je niet anders dan racisme kon noemen.

Ik werd dus gestraft door bij de 'zwarten' te moeten zitten. Bij de mijnen. Ik vond het helemaal niet erg bij hen te moeten zitten; ik zag me al die reportage schrijven die ik niet had kunnen maken toen ik nog journaliste was. Ik wilde mijn zusters begroeten op traditionele wijze. Zodra ik in het overdekte gedeelte kwam liet ik een joejoe los waarmee ik de kloof tussen mijzelf als 'nieuweling' en de 'oudgedienden' wilde overbruggen. De ene joejoe is de andere niet: elk volk, elke stam heeft zijn eigen klankkleur, zijn eigen 'accent'. De vrouwen beantwoordden mijn joejoe. Allemaal tegelijk. En in dat joejoeconcert vermengden zich alle accenten van mijn Sudan.

De gedetineerden uit de hoch van de vrouwengevangenis van Omdurman gaven me een fantastisch onthaal. Ze hadden mijn verhaal wel gehoord, maar toch waren ze nog verbaasd om mij, de journaliste uit Khartoum, in hun midden te zien.

'Jij bent het pantalonmeisje!' riepen ze en ze verdrongen zich om me in hun armen te kunnen sluiten en me te omhelzen.

Ze begrepen dat ik niet alleen voor mijn eigen persoontje, maar ook voor hun zaak vocht.

De hoch is een eigenaardige plek om gevangen te zitten: het is een grote oppervlakte van aangestampte aarde, waar niets staat, behalve de spullen die de gevangenen van hun familie krijgen. De grootste bofkonten hebben een deken en soms ook een kussen, anderen een oud stuk jute, maar de meeste vrouwen slapen op de kale grond met hun thob als enige bescherming tegen de kou. Ik had er helemaal niet op gerekend dat ik mijn dag zou eindigen in de gevangenis. Ik had niet gedacht dat het vonnis direct al uitgevoerd zou worden en bovendien was ik ervan uitgegaan dat ik óf vrijgelaten zou worden – wat wel zo wijs geweest zou zijn van de rechters – óf zoals de anderen zou worden gegeseld. Wat ik in mijn handtas had was in deze situatie van geen enkel nut en het bezoekuur was juist afgelopen toen wij binnenkwamen. Veel van die volksvrouwen boden me aan, zo gul als ze arm waren, om hun deken of hun stukje jute met me te delen. We moesten er zelfs zo om lachen dat de bewaakster erbij kwam om een einde te maken aan het rumoer. Ze bepaalde welk hoekje voortaan mijn plaats zou zijn.

De zon ging onder en terwijl het langzaam donker werd brachten ze ons de iftar, de maaltijd na de vastendag. Het was eenvoudig, maar heel behoorlijk voedsel: ruime porties rijst en vlees, platte broden, salade, gegiste melk, dadels en sloten verfrissende dranken. Het was de typische iftar zoals die in Sudanese gezinnen wordt gebruikt; niet die misplaatst overdadige iftars van de nieuwe rijken en de kopstukken van de regering. Ik was heel verrast over die verwennerij van de gevangenisautoriteiten en ook over de hartelijkheid van de bewaaksters, die de gevangenen glimlachend bedienden en een bord of een beker gaven aan vrouwen die te arm waren om er zelf een te bezitten. Ik wilde net de autoriteiten de hemel in prijzen toen ik hoorde waar die maaltijd vandaan kwam.

Al jarenlang, werd me verteld, zorgde een anonieme weldoener er tijdens de ramadan voor dat alle gevangenen van Omdurman elke dag een iftar kregen. Niemand wist wie die weldoener was die zich niet bekend wilde maken, maar die slechts in vrede met God wilde zijn. Dat is nog eens iets anders dan onze leiders die tijdens de ramadan, voor het oog van de camera's en tientallen journalisten, wat dadels gaan uitdelen aan de behoeftigen! Ik heb een vermoeden dat deze onbekende een soefi moet zijn of iemand uit soefikringen.

Met hulp van mijn nieuwe vriendinnen maakte ik me klaar voor mijn eerste nacht in de hoch. Ze waren zo vrijgevig! Ik kreeg een deken, een kussen, een lekker zittende thob en zelfs een gebedskleedje. Ik installeerde me te midden van hen op de grond; in mijn journalistenbestaan had ik al vaak veel ongemakkelijker op de grond gezeten. In de openlucht slapen vond ik ook niet erg, integendeel. En zo begonnen we aan de avond. Mijn lotgenoten boden me glazen thee aan en koffie – die ik zonder een vies gezicht te trekken opdronk, want ik houd niet van koffie.

Het verbaasde me niets dat ik te horen kreeg dat veel van die arme vrouwen theeverkoopsters waren. Ze waren op straat opgepakt en met snelrecht veroordeeld tot geseling en een boete die ze niet konden betalen. Zij hadden ook niet het recht gehad om zich te verdedigen en ook zij hadden geen kopie van het vonnis gekregen. Sommige vrouwen hadden hun kleine kinderen bij zich; het kon niet anders omdat ze niemand hadden die op hen kon passen. Of ze waren bevallen in de gevangenis, waar dag en nacht een vroedvrouw wacht had. Voor het eerst in mijn leven had ik de kans om uitgebreid te praten met een vrouw uit een van die stammen waar het traditie was om alcohol te stoken. Ik leerde haar kennen als een goede moslima, die bad, die vastte en die haar lot toevertrouwde aan Allah. Zelfs als ze thee had verkocht in plaats van alcohol, zou ze de bak zijn ingevlogen. Ik herkende ook een van onze oude buurvrouwen uit Omdurman, die was opgesloten vanwege een stomme burenruzie. Ik informeerde naar haar familie; zij vroeg nieuws van die van mij. Het was een milde avond. Ik was gelukkig.

De vrouwen vertelden me allemaal hun verhaal; het ene relaas was nog absurder dan het andere. Iemand was veroordeeld omdat haar inwonende neef een vrouwelijke collega van de universiteit thuis had ontvangen. De politie die haar armoedige huisje binnenviel trof ze niet aan in een compromitterende toestand; toch werd ze gearresteerd omdat ze een prostitutienetwerk runde. Een ander wandelde op straat: prostitutie. Ethiopische en Eritrese vrouwen zaten gevangen omdat ze geen verblijfsvergunning hadden. Een negentienjarige studente, een christin uit Zuid-Sudan, was gearresteerd omdat ze een pantalon droeg, veroordeeld tot twintig zweepslagen en onmiddellijk gegeseld. Haar beul had beweerd dat ze hem bij het uitvoeren van de straf had beledigd; ze had geen gelegenheid gekregen om haar versie van de feiten te geven en werd ook nog veroordeeld tot een gevangenisstraf van drie maanden en een hoge boete. Natuurlijk verloor ze daardoor een heel studiejaar.

Een aantal van de vrouwen met wie ik babbelde was gearresteerd aan het einde van de week, een donderdag, een vrijdag of een zaterdag. Deze drie dagen mogen er, behoudens heel ernstige uitzonderingen, volgens de Sudanese wet geen mannen worden gearresteerd, zelfs al loopt er een officieel arrestatiebevel tegen hen. Daarentegen staat dezelfde wet toe dat zelfs de laagste politieman elke vrouw oppakt van wie hij vindt dat ze artikel 152 van het Wetboek van Strafrecht overtreedt, en haar naar het commissariaat brengt. Daar moet ze dan zitten wachten tot het begin van de werkweek en de opening van de rechtbank, waar ze haastig wordt berecht en veroordeeld. Mannen bezwijken soms onder de stokslagen die ze krijgen in de loop van hun verhoor in die commissariaten. Dat geeft een indruk van de martelingen die vrouwen er ondergaan. Op zich stoort het me niet dat mensen aan het einde van de week gearresteerd kunnen worden; wat ik onverdraaglijk vind is dat er dan uitsluitend vrouwen worden opgepakt.

Mijn buurvrouw en ik vertelden elkaar onze belevenissen

en uit haar verhaal bleek weer eens hoe zwaarwegend de traditie nog is in onze samenleving. De dochter van deze vrouw had, tegen haar zin, een huwelijkscontract getekend met haar neef. Maar ze hield van een andere man en enkele dagen voor de ceremonie die de samenwoning van het stel inluidde, vroeg ze haar man of hij haar wilde verstoten. Hij weigerde, daarin gesteund door de ouders van zijn vrouw. Het meisje vluchtte daarop met haar geliefde. Anderhalf jaar lang waren de twee zoons van mijn medegevangene op zoek naar hun zus. Ten slotte vonden ze haar, samen met de man met wie ze was gevlucht. Ze bonden het stel vast en brachten het bij de moeder die de geliefde zijn beide oren afsneed en hem, met zijn oren, bij de politie afleverde. Moeder en zonen kregen heel lichte straffen. Wat er met het meisje was gebeurd heb ik niet durven vragen. Mijn buurvrouw zei er nog wel bij dat bij andere stammen het stelletje zou zijn gedood, wat bij hen gelukkig niet was gebeurd. Ik heb me maar onthouden van commentaar en dronk nog wat thee met haar. Ik leerde ook vrouwen kennen die waren veroordeeld door 'sultansrechtbanken', de traditionele rechtbanken van de mensen in het zuiden, waar elke stam nog wordt geleid door een sultan. Dergelijke rechtbanken werden ook in het noorden toegestaan vanwege de instroom van vluchtelingen uit het zuiden; wie door zo'n rechtbank was veroordeeld werd ook naar een staatsgevangenis gestuurd. Mijn 'straf' bleek uiteindelijk eerder een beloning te zijn; ik ontdekte een mij tot dan toe nog onbekende wereld.

Ineens kwam de bewaakster terug, gebood me mijn spullen bij elkaar te pakken en met haar mee te gaan. Ik had geen keuze, dus ik deed wat me werd opgedragen en nam afscheid van mijn lotgenoten. Ze bracht me eerst naar een cel met acht gevangenen. Maar omdat de vrijlating van een van de acht werd uitgesteld, moest ik naar een andere cel, waar we maar met drie waren. Het 'publiek' in de cellen verschilt hemelsbreed van dat in de hoch, en het comfort ook. De zevenhonderd gevangenen in de hoch hebben geen enkel meubelstuk, één enkele tv en alleen de 'rijken' hebben daar een radiootje, waar de anderen naar kunnen luisteren. De cellen hebben bedden, dekens, kussens en ventilatoren; de gevangenen brengen hun eigen koelkast mee en hun televisie, die wordt aangesloten op de schotelantenne. Mijn nieuwe gezellinnen ontvingen me hartelijk en boden me thee aan. Het was of ik werd teruggeworpen in de tijd, alsof ik weer in het studentenhuis van Wad Madani was, en zoals ik toen ook placht te doen, ging ik naar het fonteintje om mijn lege theeglas om te spoelen.

'Laat toch zitten. Morgen komt de werkster,' zei een van de vrouwen.

De werkster was uiteraard een van de arme gevangenen uit de hoch. Tegen betaling van een meer dan welkome kleinigheid werkte ze voor de dames, meestal zakenvrouwen uit Khartoum die daar zaten wegens financiële delicten. De 'meid' kon komen en gaan wanneer ze wilde, want hier zijn de deuren nooit op slot. Ze kwam op weg naar of terugkomend uit de moskee aan het einde van de veranda waar de cellen op uitkwamen ook altijd vragen of de dames nog iets nodig hadden. Mijn celgenoten waren alleraardigst, maar toch vond ik bij hen niet die warmte van de hoch. Ze hadden natuurlijk van mijn zaak gehoord en hadden alle verwikkelingen ervan gevolgd op de televisie. Ik ga niet verklappen welke methode ik heb gebruikt om diezelfde avond vanuit de gevangenis verbinding te krijgen de correspondent in Sudan van een Arabische tv- en radiozender. Ik zou die techniek nog wel eens nodig kunnen hebben... Feit is dat ik op tv en op de radio een liveverslag van mijn wederwaardigheden heb gegeven. Tijdens de interviews was ik doodsbang dat de bewaaksters zouden binnenvallen, maar die keken zeker niet naar het nieuws want ik heb mijn verhaal ongestoord kunnen vertellen.

Voor het slapengaan was een van mijn medegevangenen zo attent om te vragen of ik gewekt moest worden voor het ochtendgebed. Ik verontschuldigde mij; ik was te moe. Maar toch werd ik om drie uur 's nachts ruw gewekt: drie vrouwen, onder wie een officier, en drie soldaten trokken me uit bed en begonnen aan een grondige fouillering van mijn matras, mijn kussen en alle hoeken van de kamer. Ze zochten naar materiaal dat ik gebruikt kon hebben voor het geven van die twee interviews. Hun meerderen hadden ze zeker de oren gewassen, want ze waren verschrikkelijk slecht gehumeurd. Ze verhoorden me een uur lang. Ik antwoordde onveranderlijk: 'U verspilt uw tijd, ik heb hier geen gsm. De technologie staat niet stil en er zijn heel wat andere communicatiemiddelen.'

Toen ze weg waren gingen de gevangenen in optocht naar de moskee voor het eerste gebed van de dag. Het speet me oprecht dat ik niet in de hoch had kunnen blijven; ik betreurde het dat ik niet nog langer naar hun verhalen had kunnen luisteren.

Om zeven uur werd ik weer gewekt voor het ochtendappèl. In afwachting van het bezoekuur begon ik aan een verkenning van de plek die gedurende een maand mijn wereld zou zijn. De hoch leek nu wel een markt. Tussen de gevangenen liepen verkoopsters met hun handel: kleding, haarolie en kranten. Er waren theeverkoopsters bezig en kinderen speelden tussen de vrouwen die op hun dekens lagen. Ik bleef er niet, hoewel ik me voornam terug te komen aangezien ik toch zeeën van tijd had. Ik liep over de veranda, langs de cellen, stak mijn hoofd om de deuren van de moskee en van de kerk en liep door tot het atelier waar gevangenen naailessen konden krijgen of andere ambachten konden leren.

Op de binnenplaats stond een grote tent, waar ik de vorige dag niet echt op had gelet. Ik ging erbinnen; hij was nagenoeg verlaten. Ik moet zeggen dat mijn mond openviel van verbazing bij de aanblik van werkbanken vol met prachtig banketbakkersgerei voor het maken van taarten, petitfours en pizza's. De hele installatie was een cadeau van een privéfirma en was bedoeld om de gevangenen klaar te stomen voor integratie in de maatschappij. Het was een lovenswaardig initiatief, maar het deed me toch denken aan koningin Marie-Antoinette die net voor de Franse Revolutie over het uitgehongerde volk zei: 'Als ze geen brood hebben, geef ze dan cake!' De armste vrouwen, die werkelijk baat zouden hebben bij het leren van een vak, wonen doorgaans in een omgeving waar ze geen elektriciteit hebben; wat moeten ze dan met een elektrische keukenmachine en waar vinden ze een oven waarvan ze de temperatuur kunnen regelen? Waar zij vandaan komen weet men niet eens of 'vanille' de naam is van een medicijn of van een dier en van pizza's heeft daar nog nooit iemand gehoord. Gesteld dat ze op miraculeuze wijze er toch in zouden slagen om petitfours en roomsoesjes te maken, wie zouden die dan van hen kopen? Zulk gebak is zo anders dan wat er bij hen lekker wordt gevonden! Trouwens, zulke vrouwen komen helemaal niet op die banket- en broodbaklessen. Alleen de bewaaksters doen er soms aan mee en ook de 'dames' uit de cellen, die er als ze weer vrij zijn mee kunnen pronken bij hun vriendinnen.

Ik was verbaasd en geamuseerd tegelijk door de vele welzijnsactiviteiten binnen de gevangenismuren. Liefdadigheidsorganisaties en particulieren sturen grote hoeveelheden medicijnen, kleding en zelfs eetwaren. Veel van de organisaties hebben een christelijke of moslimsignatuur, maar bij het uitdelen van hun giften maken ze geen onderscheid naar godsdienst. Er werd me verteld dat ook goede geefsters die hun schenkingen persoonlijk komen brengen nooit vragen naar afkomst of godsdienst. Ergens anders is dat misschien heel normaal; in Sudan is het een teken van hoop. Ik heb zelf tot mijn grote ontroering kunnen zien dat de allerarmsten kregen waarvoor ze nooit hadden kunnen dromen: geld om hun boete te kunnen betalen, waardoor ze hun vrijheid terugkregen. Volgens westerse maatstaven lijken die boetes misschien maar een kleinigheid. Vijfhonderd Sudanese pond – dat is omgerekend tweehonderd dollar – voor het dragen van een pantalon, een beetje minder voor het venten van thee en bijna het dubbele voor het stoken van alcohol. Er zijn trouwens geen vaste tarieven voor de boetes. Alles hangt af van het humeur van de rechter. Maar om vijfhonderd pond te verdienen moet een vrouw meer dan duizend bekers thee verkopen. Het bedrag komt overeen met het maandsalaris van een onderwijzer in Khartoum – die beter betaald wordt dan zijn collega op het platteland. Het is meer dan twee maanden loon van huispersoneel dat schoonmaakt, kookt en andere dagelijkse klusjes doet.

Ik moest de inspectie van de gevangenis staken omdat het bezoekuur werd. Dat speelt zich af in een gedeelte waarin het bezoek achter een hekwerk zit en de gevangene zich vrij kan bewegen op de binnenplaats. Ik had geen recht op die vrijheid; mijn tante, andere naasten en vrienden volgden elkaar op in een kantoor en onze gesprekken werden afgeluisterd door een bewaakster. Mijn bezoek bracht me de uitzet van de gevangene: zeep, een stapel dekens, kussens en schone kleren. Ik kreeg te horen dat andere bezoekers bij de poort waren weggestuurd, om te beginnen mijn moeder, die haar dochter niet mocht zien. Waarom niet? Geen idee. Aan de mensen die wel binnen mochten beschreef ik in geuren en kleuren mijn nieuwe leven en ze waren verbijsterd over mijn enthousiasme.

Aan het begin van de namiddag werd ik opnieuw verhoord, nu in het kantoor van de gevangenisdirectrice en in aanwezigheid van een hoge ambtenaar van het gevangeniswezen, die speciaal voor mij uit Khartoum was gekomen.

'Ik heb geen telefoon. Maar de technologie staat voor niets, vraag dat maar na,' zei ik uitdagend.

Voor de rest bleef ik halsstarrig zwijgen en ze lieten me weer gaan met de waarschuwing dat me een zware straf te wachten stond voor overtreding van de gevangenisregels. Ik kon de verleiding niet weerstaan om een kopie van het huisreglement te vragen, zodat ik me voortaan aan de regels zou kunnen houden. Ik heb later pas gehoord dat het de bedoeling was geweest dat ik de rest van mijn straf in isolement zou uitzitten.

Ik weet niet precies hoe nieuws circuleert in Sudan, maar ik weet wel dat het razendsnel gebeurt. De straat weet het soms al voordat de media er gewag van maken. Halverwege de dag gonsde de gevangenis van de geruchten en kwamen gevangenen me gelukwensen: 'Je komt nog voor zonsondergang vrij.'

Ik wist van niets. Uit mijn ondervraging had ik afgeleid dat ik nog lang niet vrij zou zijn, dus nam ik die geruchten niet serieus.

Toen ik even daarna bij de directrice moest komen, verwachtte ik ook dat ze mij mijn straf zou meedelen en dat die niet mis zou zijn. Ik wist niet wat ik hoorde toen ze zei dat ik werd vrijgelaten op bevel van de rechtbank. Ik vroeg een kopie van dat bevel, maar natuurlijk kreeg ik dat niet; ik heb het alleen even kunnen zien; het was ondertekend door dezelfde rechter die me had veroordeeld. Ik vroeg of het was omdat iemand mijn boete had betaald; de directrice verzekerde me dat ze zoiets zou hebben geweten.

Tussen twee politieagenten in ging ik naar mijn cel om mijn schamele bezittingen op te halen. Het grote nieuws had zich natuurlijk al verspreid; de andere gedetineerden zaten er al om afscheid van me te nemen. Ik wilde me naar de grote poort begeven waar ik de vorige dag door was binnengekomen, maar ik kreeg te horen dat ik nog een bezoeker had. Was dat misschien de eigenaar van de zwarte limousine die op de binnenplaats stond?

Inderdaad zat in het kantoortje dat ik net had verlaten de president van het Genootschap van Journalistiek met een afvaardiging. Beleefd bedankte ik iedereen voor zijn komst, maar ik wees de uitnodiging af om samen met hen de gevangenis te verlaten, in de limousine.

'Ik ga liever op eigen gelegenheid,' zei ik.

Natuurlijk heb ik ze daarmee gekwetst. In alle onschuld: ik wist echt niet dat er cameralieden van de staatstelevisie klaarstonden om mijn vertrek in die officiële wagen te vereeuwigen. Ik begreep dat pas toen ik met mijn spulletjes onder mijn arm de gevangenis uitliep en zag dat politieagenten diezelfde cameralui nu verhinderden te filmen.

Collega's die niet naar binnen hadden gemogen, stonden te wachten aan de gevangenispoort van Omdurman, in de hoop dat ze me nu zouden zien. Ik ging samen met hen weg. We zijn in optocht naar het gebouw van de krant *Ajrass al-Hurriya* gelopen, waar het comité zat dat mij, en met mij ook nog andere vrouwen, had gesteund en waar de alliantie-Nee-tegen-de-Onderdrukking-van-Vrouwen was opgericht. Onderweg hoorde ik dat de journalistenvereniging, die volledig naar het pijpen van de regering danst, de boete had betaald, waardoor ik nu vrij was. Wat een bespottelijke actie! Dacht de regering nu echt dat ze daarmee een eind had gemaakt aan de zaak-Lubna al-Hussein?

Op de redactie werd een persconferentie gehouden. Ik hield een toespraak waarin ik, misschien tot vervelens toe, voor de zoveelste keer de autoriteiten en het hof ervoor bedankte dat ze de procedures zo hadden laten aanslepen, waardoor ze mij de tijd hadden gegeven om de hele wereld op de hoogte te brengen van wat er in Sudan aan de hand is. Ik kondigde aan dat mijn strijd nog niet gestreden was: niet mijn mediaoffensief, noch mijn juridische gevecht, omdat ik in beroep zou gaan tegen de uitspraak. Het einddoel van die strijd is dat het volk van Sudan, dat een goed, edelmoedig en vreedzaam volk is, eindelijk de leiders krijgt die het verdient.

Ik was veroordeeld wegens het dragen van een lange broek. Ik heb nu dus een strafblad; het vermeldt dat ik de publieke zedelijkheid heb gekwetst. Maar ik begrijp nog steeds niet welke misdaad ik in hemelsnaam heb begaan...

Epiloog

'Zijn de kleren die je draagt onfatsoenlijk?'

Met betraande ogen antwoordde ze met een bevend stemmetje, nauwelijks hoorbaar: 'Ja.'

Ze zou ook ja gezegd hebben, als ze haar de zon hadden aangewezen en hadden gevraagd of dat een brood was.

Haar verhoor bleef beperkt tot die ene vraag. Hetzelfde gold voor de andere beklaagden. Zo gaat het al twintig jaar, voor tienduizenden beklaagden.

Zie haar voor haar rechter staan, die adolescente, zonder bijstand van een advocaat in een rechtszaal waar advocaten niet welkom zijn, voor een hof dat geen behoefte heeft aan getuigen en dat nooit een geschreven oproep verstuurt. Een rechtbank slechts bestaande uit de rechter, de beklaagde en de eiser, die tevens degene is die haar heeft gearresteerd. Hij is desgewenst ook de aanklager en bovendien de enige getuige. De beschuldigde is een prooi waarin de rechter en de politieman allebei hun tanden zetten.

Moederziel alleen stond ze tegenover die twee mannen in de rechtszaal. Naast de ingang van de zaal zat een man op de grond; zijn rug was gebogen alsof hij werd verpletterd door de zwaarte van het schouwspel. Hij hief zijn handen ten hemel: 'Allah, laat hen doormaken wat ze onze dochters aandoen.'

Hij herhaalde deze aanroep drie keer. Het zweet liep tappelings langs zijn gezicht, op deze snoeihete dag, 5 juli 2009, in Khartoum.

Ik zag hem omdat ik op mijn beurt wachtte om te worden verhoord en berecht. Was het zweet, of waren het tranen? Ik wist zeker dat Allah zijn gebed hoorde. Ik sprak hem aan en hij snikte: 'Haar oudere broer wilde haar doden. Ik kon het verhinderen, Allah zij geprezen.'

Hij vertelde me hun verhaal. Over de bruiloft die hij had bijgewoond met zijn drie puberdochters en zijn twee iets jongere zonen. Op de terugweg in de taxi hoorden ze de Egyptische liedjes die opstegen uit restaurant Oum Kalthoum op straat weergalmen. Was dat een plaat of een zanger van vlees en bloed? Plaat of zanger? De meisjes verschilden met elkaar van mening en gingen wedden om een gsm-kaart van vier dollar. De vader vond het goed dat de taxi even stopte, zodat ze met hun broertjes gauw bij Oum Kalthoum naar binnen konden gaan om te kijken wie er gelijk had. Had hij een paar seconden of een paar minuten op ze staan wachten? De politie van openbare orde arriveerde met veel machtsvertoon. De agenten zetten de uitgangen van Oum Kalthoum af. Hij wachtte heel lang in zijn taxi. Twee van zijn dochters kwamen naar buiten, met hun broers. De derde dochter droeg die avond een pantalon.

Vanwege een weddenschapje van vier dollar werd ze veroordeeld tot een boete van honderd dollar en tien zweepslagen. Haar verloofde liet haar zitten. Haar broer wilde haar doden. Ze werd gelijk met mij gearresteerd en was twee dagen later al veroordeeld. Ze is er nog altijd niet overheen.

Dat is de wet die in Sudan wordt toegepast. De wet van Khartoum. Ik heb het nog niet eens over de wetten waar vrouwen in Darfur mee te maken krijgen...

Met onze wetten, als ze die naam al waardig zijn, bedoel ik natuurlijk niet alleen artikel 152 uit het Wetboek van Strafrecht van 1991, dat het dragen van een pantalon bestraft met veertig zweepslagen. Er staan nog zo veel andere eigenaardige artikelen in dat wetboek, dat een bijlage heeft waarin beschreven staat hoe een neus en een geslacht afgesneden moeten worden, een been moet worden geamputeerd, en een arm gebroken! Artikel 148 bestraft homoseksualiteit met honderd zweepslagen – dat is dezelfde 'prijs' als die voor verkrachting; dus 'tweeënhalve pantalon'. Op het vrijwillig bedrijven van de liefde door twee ongehuwde volwassenen staat een héél hoge prijs: steniging. Artikel 154 is weer heel merkwaardig: alle mannen en vrouwen die samen worden aangetroffen, terwijl ze niet met elkaar getrouwd zijn en geen bloedbanden hebben, zijn 'zondig', omdat een van de aanwezige mannen 'tot een seksuele handeling zou kunnen overgaan'. We bevinden ons hiermee op het randje van de absurditeit. In het rijk van koning Ubu.

De strijd zal moeilijk zijn, maar hij is niet bij voorbaat verloren. Ik won een eerste slag door de algemene opinie voor me te winnen, door de mensen de ogen te openen: die vrouwen zijn nergens schuldig aan; ze zijn slachtoffers. Ze zijn geen slechte vrouwen. Zij zijn niet obsceen; de wet is boosaardig en obsceen.

De processen van vrouwen voor de rechtbanken van openbare orde kregen eerst hooguit een hoekje in de juridische rubrieken van de kranten, behalve als het om een bekende vrouw ging. Nu is het proces tegen een vrouw voorpa-

ginanieuws, zelfs als de vrouw in kwestie een volkomen onbekende is. Vroeger werd in enkele regels de ontuchtigheid
van de vrouwen aan de kaak gesteld. Tegenwoordig klagen
de kranten de obsceniteit aan van de wet en het hele juridische apparaat. Vroeger gingen gezinnen gebogen onder
schaamte. Nu worden ze vaak bedolven onder steun- en soli-
dariteitsbetuigingen.

De verandering zal niet van de ene op de andere dag
plaatsvinden; we hebben nog een lange weg te gaan, maar we
zijn hem ingeslagen. Stapje voor stapje zullen we ons bevrij-
den van het extremisme en het fundamentalisme. We zullen
ons doel bereiken en dat doel is niet het dragen van een pantalon, maar onze vrijheid, en die begint met het recht om je
te kleden zoals je wilt. Het hoofddoel is het einde van de on-
derdrukking van vrouwen. Het doel is gelijkheid voor de
wet, een billijke rechtspleging en het recht, zelfs voor een
misdadiger, op verdediging. De rechtspleging moet worden
aangepast aan de grondwet, aan de mensenrechten en zelfs
aan de godsdienst. Want onze huidige wetten zondigen tegen de godsdienst door zich te baseren op teksten die helemaal niet bestaan. In de Koran noch in de Hadith is er sprake van iemand tuchtigen vanwege zijn of haar kledij. Als
onze regering zich dan zo druk maakt over dit onderwerp,
waarom wordt er dan geen ministerie van Kleding en Mode
opgericht, naast een ministerie van Landbouw en een ministerie van Olie...

Ik diende een klacht in tegen de voorzitter van het Sudanese parlement. Hij had mij met naam en toenaam geciteerd in een gesprek met een krant, verklarend dat artikel
152 van het Wetboek van Strafrecht alleen wordt toegepast
in Khartoum en in enkele andere politiedistricten, maar

niet in de rest van Sudan. In datzelfde interview zei hij dat ik me bij mijn arrestatie onfatsoenlijk had gedragen en dat mijn kleding kwetsend was voor de goede zeden en de Sudanese waarden en normen. Ik had juist een procedure in beweging gezet tot nietigverklaring van mijn proces en zijn uitspraken konden de loop van deze procedure beïnvloeden.

Het vervolg van deze kwestie? Het was lachwekkend. Ik ging naar het parlement, ik kwam binnen op vertoon van mijn perskaart en ik legde mijn juridische stappen uit aan de aanwezige parlementsleden. Sindsdien worden journalisten – en vooral vrouwen – aan de ingang van het parlement zwaar gecontroleerd. Mijn klacht werd verworpen... op grond van de onschendbaarheid die de voorzitter van het parlement bezit. De verwerping is maar voorlopig, want ik ben bezig met gerechtelijke stappen tot opheffing van 's mans onschendbaarheid.

Ik ben het aan mezelf verplicht om te slagen. Anders zullen de slachtoffers uit Darfur stuklopen tegen die muur wanneer ze straks op hun beurt hoge regeringsambtenaren willen aanklagen wegens de deportaties, de verkrachtingen, de moorden en alle andere misdaden tegen de menselijkheid die ze hebben moeten ondergaan. Voor hen moeten de muren van de onschendbaarheid worden neergehaald.

Op 22 oktober 2009, voor de rechtbank van openbare orde van Khartoum, waren ze met z'n tweeën. Ze waren gelijk met mij gearresteerd in Oum Kalthoum, maar hun proces was op een later tijdstip omdat ze een advocaat hadden. Toen de eerste vrouw haar vonnis hoorde, stortte ze in. Ze werd omringd door vrouwen die haar optilden en die haar tranen droogden.

De strijd moet worden voortgezet, opdat zulke tranen nooit meer vloeien.

Ik leef met de dreiging opnieuw te worden gearresteerd en berecht, maar ik ben niet bang. In Sudan moet je je eerder afvragen waarom iemand niet gearresteerd is. Op 30 oktober 2009 dronk ik bij een straatverkoopster thee met Djénane Kareh Tager, die me heeft geholpen dit boek te schrijven. De zon was nog niet helemaal onder. Een fotograaf die ons vergezelde fotografeerde de theeverkoopster, aan wie ik eerst daarvoor toestemming had gevraagd. Iemand van de staatsveiligheidsdienst – gekleed in een wit gewaad en dus niet in uniform – kwam woedend naar ons toe en verbood het nemen van foto's. Ik vroeg hem welke wet het fotograferen verbiedt.

'Ik ben kolonel!'

Dat was alles wat hij zei, alsof zijn rang de wet zelf was.

'Jij wilt de regering naar jouw pijpen laten dansen,' zei hij, beschuldigend naar mc wijzend.

Hij wenkte een politiepatrouille die zich héél toevallig in onze buurt ophield en klaarstond om in te grijpen. De agenten traden ruw op en brachten me naar het politiebureau. De kolonel beschuldigde me weer: 'Ze heeft gezegd dat ze de regering naar haar pijpen wil laten dansen.'

Er werden drie aanklachten tegen me ingediend: ik had foto's laten nemen, ik had de regering aangevallen en ik had de openbare orde in gevaar gebracht. Bij gebrek aan een relevante wettekst werd de eerste aanklacht afgewezen. Wat de twee andere aanklachten betreft richtte ik me tot de twee mannen die me hadden opgepakt: 'Kunt u in alle eer en geweten, en voor Allah, verklaren dat ik zoiets heb gezegd?'

Die keer trof ik kennelijk eerlijke mannen, die dat weigerden te zweren. Na drie uur van verhoren en onderhandelen werd ik vrijgelaten, maar ik weet zeker dat andere mannen wel alles wat hun gevraagd wordt zouden zweren.

Ik leef onder dreiging. Vermoedelijk onder de dreiging van de dood. En wat dan nog? Zullen ze op een dag de levensduur bekorten die Allah mij heeft geschonken? Dan moet dat maar. In dat geval ben ik bereid om te sterven voor mijn zaak.